ANTHONY MORTON

Le baron les croque

Éditions J'ai Lu

ANTHONY MORTON

le baron les croque

Traduit de l'anglais
par Claire SÉGUIN

Ce roman a paru sous le titre original :

MEET THE BARON

© by Anthony Morton and Editions Ditis

I

— Trois mille livres de revenu par an, seulement ! Vous plaisantez, Mary ! Son père était colossalement riche !

De stupéfaction, le colonel Belton faillit laisser tomber sa pipe. Il la rattrapa au vol, et se redressa avec vivacité malgré sa soixantaine. Sous sa grosse moustache blanche, sa bouche formait un « O » presque parfait, et lady Overndon ne put s'empêcher de sourire. Dieu sait pourtant si elle partageait la déception de son vieil ami. De sa voix douce et lente, elle expliqua :

— Son père ne jouait pas aux courses...

— Mannering joue aux courses ? Pas possible !

— Il y a joué, en tout cas...

— Mais pas au point de perdre toute sa fortune, voyons ?

— Pourquoi pas ? J'ai l'impression que c'est un garçon capable de bien des choses... Si, mon cher, il a tout perdu.

— Et comment le savez-vous ?

— Parce qu'il me l'a dit ce matin. C'est tout simple.

Le colonel remit sa pipe en bouche et s'assit lourdement. Son esprit travaillait toujours avec une grande lenteur, et la fine mouche qu'était

5

lady Mary lisait en lui à livre ouvert. Elle contempla le bon visage cramoisi avec amitié :

— Je savais bien que vous seriez navré, Georges. Vous croyiez, comme moi, que John était très riche. Il vous plaisait...

— Il a fait une guerre magnifique, précisa le colonel. Et puis, il monte à la perfection.

— C'est bien ce que je disais !... Or, vous aimez beaucoup ma fille, et vous avez de... l'affection pour moi...

Le colonel poussa un grognement de protestation :

— Je vous aime, Mary ! Il y a vingt ans que je vous aime. Et vous m'avez dit et répété cent fois que vous ne m'épouseriez pas aussi longtemps que Patricia ne serait pas mariée. Entre nous, je commençais à m'inquiéter : c'est une fille ravissante, mais un peu trop douée pour le célibat à mon goût ! Voilà enfin un garçon que ni vous ni elle n'avez réussi à terroriser, et qui n'a pas pris la fuite au bout de quelques jours. Il tenait même bon... Un mari idéal pour votre fille, un gendre idéal pour vous...

Avec un à-propos des plus rares chez lui, le colonel ajouta :

— Donc, pour moi... Et Patricia, ma foi, semblait...

Le colonel hésita, et rougit, c'est-à-dire qu'il passa du brique clair au cuivre chaudron.

— Enfin, elle semblait...

— Amoureuse ! acheva paisiblement lady Mary, tout en écartant un moustique.

— Parfaitement ! J'étais presque certain que tout irait bien. D'ailleurs, regardez-les !

Et le colonel désigna la pelouse qui s'étendait

devant leurs yeux, verte à souhait. Deux jeunes gens la traversaient nonchalamment, balançant leurs raquettes de tennis, et se dirigeaient vers les terrains situés au fond du parc.

Patricia Overndon était frêle, blonde, légère, et (comme l'avait judicieusement observé le colonel), absolument ravissante. John Mannering, plus âgé d'une dizaine d'années, avait un beau visage hâlé, qu'éclairait un sourire indolent (irrésistible, ne put s'empêcher de penser lady Mary par devers elle). La démarche de la jeune fille s'accordait avec l'élégance de son compagnon, et leurs vêtements immaculés ressortaient vivement sur le vert du gazon.

— Un véritable film en couleurs, murmura lady Mary non sans ironie. Avec un dénouement des plus optimistes, évidemment !

Cette remarque fut perdue pour le colonel : le soleil, la vue du jeune couple, les roses de lady Mary (les plus belles du comté), tout était fait pour lui redonner courage. Il se retourna vers la vieille dame qui s'éventait machinalement, et sans aucun bénéfice d'ailleurs, avec son long face-à-main d'écaille. Portant avec sérénité une robe mauve alourdie de dentelles, orgueilleusement démodée depuis une bonne quinzaine d'années, elle était aussi désuète qu'une figurine de porcelaine. Mais sous la couronne de cheveux blancs, le regard gris étincelait de jeunesse, et le colonel la savait aussi futée, et bien plus coriace qu'un vieux politicien.

— Je vous en prie, Mary, expliquez-moi tout cela.

— Oh ! c'est bien simple, mon ami, John Mannering est rentré en Angleterre, la guerre finie, fermement décidé à ne pas s'ennuyer. Il a perdu toute sa fortune avec une surprenante rapidité. Aux courses principalement, m'a-t-il dit, et je le crois. Il y a trois ans environ, il s'est aperçu qu'il atteignait sa cote d'alerte, et qu'il lui restait tout juste le capital d'un revenu de 3 000 livres environ. Il a donc quitté Londres, et s'est retiré dans le Somerset où il joue au cricket, monte à cheval, lit énormément, et se trouve fort heureux. Il possède un bungalow de sept pièces, un seul domestique, quelques ares de terrain, et deux chevaux. Je vous répète là ses propres paroles.

— Je comprends... Vous lui avez répondu qu'il était impossible...

— Vous ne comprenez rien du tout, comme d'habitude. Je ne lui ai pas dit de retourner à son bungalow : je ne suis tout de même pas aussi vieux jeu que cela, Georges. C'est Patricia qui décidera...

Le colonel poussa un soupir plein d'espoir :

— Alors rien n'est perdu ? Ce garçon est très séduisant... cela fera un mariage d'amour, voilà tout. D'ailleurs, j'ai entendu dire qu'il y a des gens qui arrivent à vivre très correctement avec 3 000 livres par an !

— Oh ! évidemment ! La chaumière y est. Le cœur aussi. Du moins celui de Mannering... mais celui de Patricia, ça, c'est une autre histoire.

— A vous entendre, on la prendrait pour une chercheuse d'or !

— De diamants, plutôt... Ou tout simplement pour une fille raisonnable, un peu trop même ; elle se rend compte qu'elle ne pourrait être heureuse avec ce garçon que s'il avait une grosse fortune. Pour être franche, je ne crois pas à ce mariage, mon cher.

Le colonel renonça à comprendre. Il avait le cœur tendre, et, de son temps, les parents se donnaient le plus grand mal pour empêcher les jeunes gens de faire des mariages d'amour. La jeunesse moderne serait-elle devenue plus sage ? Ce n'était pourtant pas l'impression qu'elle lui avait donnée jusqu'à ce jour !

— Voilà. Vous savez tout maintenant, Patricia. 3 000 livres par an, un bungalow confortable, un jardin qui vous plaira, deux chiens, deux chevaux... je crois que je n'oublie rien. Ah ! si, le principal : mon amour, tout l'amour que je puis vous donner...

Malgré les chênes qui bordaient l'étang du Manoir, la lune éclairait les jeunes gens immobiles. Patricia semblait métamorphosée en une statue de marbre clair ; tenant très droit sa petite tête hautaine, ses cheveux d'or plus pâles que jamais, elle était étrangement belle.

Mais ses lèvres étaient pincées et ses yeux sévères.

Mannering sentit une sourde appréhension l'envahir. Où était la fille pleine de vie, de sourires, de promesses, qui ne l'avait guère quitté depuis un mois, et qu'il rêvait d'emporter avec lui, dans son ermitage... Il eut peur de comprendre, et fit un pas vers elle. D'un geste vif, elle l'arrêta :

— Pourquoi ne m'avez-vous pas dit tout cela il y a un mois ?

— Je vous connaissais à peine. Et puis... (un éclair de gaieté brilla dans les beaux yeux noisette, pour s'éteindre aussitôt) je n'ai pas une grande habitude des demandes en mariage... C'est la première fois que j'en fais une...

— Vraiment ?

Elle se détourna tranquillement, sans paraître remarquer le regard de Mannering.

— J'espère que ce ne sera pas la dernière. Ne parlons plus de tout cela, voulez-vous ? Il fait froid, je rentre.

Le désespoir s'empara de John : cette voix sèche, presque méchante, étrangère, ce mouvement brusque et méprisant, tout cela semblait une mauvaise comédie jouée par une excellente actrice. La vraie Patricia n'était que rires, lèvres tendues, et grands yeux tendres. Soudain, il revit son visage lorsqu'il lui avait raconté son histoire, tout à l'heure : la consternation, puis la colère bien dissimulée, la froideur et le dédain enfin s'y étaient succédés. Il comprit subitement et, trop dégoûté pour plaider sa cause, il resta immobile, regardant la mince silhouette qui s'éloignait vivement. Un éclair désespéré, mais malgré tout ironique, traversa son regard :

— Je l'ai échappé belle, murmura-t-il. Si j'avais eu 20 000 livres par an, elle m'épousait immédiatement !

Puis il cria :

— Patricia ! Vous feriez mieux de m'attendre ! Ils vont croire que nous avons eu une querelle d'amoureux !

Le lendemain matin, lorsque le colonel descendit pour le petit déjeuner, assez tard suivant son habitude, il trouva lady Mary seule, mangeant ses œufs brouillés sans grande conviction. Elle déclara aussitôt :

— Mannering a regagné Londres par le premier train. Oh ! j'en étais certaine ! Je savais que Patricia ne s'intéressait jamais qu'à deux choses sur terre : l'argent, et elle-même ! Mais ne restez pas là, bouche bée, Georges ! Trouvez-moi plutôt un millionnaire pour cette petite égoïste !

Soudain le colonel vit s'embuer les beaux yeux gris :

— Vous allez me traiter de vieille femme sentimentale, et vous n'aurez pas tort ! Mais si vous aviez vu les yeux de ce garçon ce matin ! Je ne sais pas ce que Patricia a bien pu lui dire, et je n'irai pas le lui demander : je suis bien trop furieuse contre cette chipie. Mais elle lui a certainement fait très mal, Georges. C'est un autre homme maintenant !

Ceci dit, lady Mary s'empara de la pochette du colonel, et sans daigner s'excuser, y enfouit son grand nez arrogant et se moucha avec fracas.

2

On ne pouvait imaginer un spécimen de gentle-
man-farmer plus typiquement anglais que l'honorable James Randall. Blond et rose, il ouvrait
très sérieusement des yeux de porcelaine bleue,
et promettait de devenir plus tard la réplique
exacte du colonel Belton, et de quelques milliers
d'autres gentlemen, que l'on avait plus de chances
de rencontrer dans le Somerset qu'à Londres, et
en culottes de cheval qu'en costume croisé. Le
seul intérêt que pouvait présenter ce garçon,
d'ailleurs charmant, mais trop heureux pour
avoir une histoire, était son amitié constante pour
John Mannering, dont la conduite, cette année, lui
avait causé autant de soucis que la santé de son
cheval préféré.

Il avait essayé de profiter d'un séjour à Londres pour remédier à cet état de choses, et pour
l'instant, appuyé au chambranle de la cheminée
de son grand salon, au 18 Dowden Square, un
verre de sa meilleure fine entre les doigts, dans
l'attitude même qu'avait autrefois son père quand
il lui administrait une semonce, il terminait une
mercuriale fort réussie, à son avis.

— Et tout ceci, John, remonte au séjour que
tu as fait chez les Overndon, il y a un an. Ce qui

prouve, comme deux et deux font quatre, que les femmes ne valent pas grand-chose.

Cette éloquence sembla glisser sur Mannering qui, noyé dans un énorme fauteuil, buvait tranquillement sa fine et se contenta de murmurer :

— Pas possible !

Le paisible Jimmy faillit se mettre en colère :

— Enfin, bon Dieu, tu as claqué 30 000 livres dans l'année... Et avec qui, Seigneur ! Tout le Somerset ne parle que de cela ; et au moins la moitié de Londres ! Tiens, hier soir j'étais au Coliseum...

— J'ai compris. Inutile de continuer. Mais tes informations ne sont pas à jour, Jimmy. Mimi Rayford et moi avons rompu avant-hier. Et puis, d'abord, qui t'a parlé de 30 000 livres ?

— Toby.

Mannering sourit narquoisement et passa doucement la main dans ses épais cheveux bruns :

— Parfait ! Si les avoués se mettent à renseigner le premier venu sur la position de leurs clients... Je vois d'ici ce qui s'est passé : vous avez décidé de tirer la sonnette d'alarme... et c'est toi que Toby a chargé de faire les trois sommations réglementaires ! Quel vieux renard ! Mon pauvre Jimmy, tu vas y gagner quelques cheveux gris, mais ce sera bien tout : parce que je n'ai pas la moindre intention de regagner notre cher Somerset, et d'y reprendre ma vie exemplaire. Je reste à Londres, et je dîne ce soir avec Madaline Sayer.

Randall n'avait jamais été plus sérieux de sa vie :

— Ce qui nous inquiète surtout, c'est ce que tu feras quand tu n'auras plus un centime !

Mannering eut un petit rire ironique :

— Il ne me restera plus qu'à sombrer dans l'alcool. C'est la seule chose que je n'ai pas encore essayée ; avec la drogue, ajouta-t-il d'un ton vertueux.

— Tu peux rire, mais c'est exactement ce qui risque de t'arriver ! répliqua sèchement Jimmy.

Et Mannering comprit qu'il ne plaisantait pas. Ses yeux noisette se firent graves :

— Je suis navré, Jimmy ! J'ai pris un chemin, je le suivrai jusqu'au bout. Si c'est une impasse, tant pis pour moi.

— Tu n'es qu'un idiot, John !

— Je n'ai jamais prétendu le contraire, répliqua Mannering avec un grand rire désarmant.

Et Jimmy, découragé, comprit qu'il était inutile d'insister car, depuis Cambridge, il savait que, derrière ce rire éclatant et irrésistible, se cachaient un esprit froid et lucide, et une volonté que personne n'avait jamais pu faire plier.

A vrai dire, malgré l'apparente bonne humeur avec laquelle il avait encaissé cet incident, Mannering était assez contrarié d'apprendre que ses deux meilleurs amis prenaient ses intérêts tellement à cœur. Dès le lendemain matin, il se rendit donc chez Toby Plender. Depuis toujours, les Plender avaient géré la fortune des Mannering. Toby, lui, s'était spécialisé dans le droit criminel, et y excellait, mais il continuait encore à s'occuper de l'étude paternelle. Etant donnée l'amitié qui unissait les trois hommes, il n'y avait rien d'étonnant à ce que l'avoué ait fait part à Jimmy de la situation matérielle de leur ami commun. Cela agaçait pourtant John, qui résolut de mettre fin à cette surveillance pleine de sollicitude.

— J'aimerais bien savoir, déclara-t-il sans aménité à Toby, si tu es un avoué ou un crieur public. J'espère que tu n'as pas prévenu toutes les jolies filles de Londres que je serai bientôt à fond de cale !

— Je ne connais pas de jolies filles, moi, je suis un travailleur, rétorqua dignement Toby. Qu'est-ce qu'il t'arrive ?

— Il m'arrive que je vais changer d'avoué, déclara John.

— Ta conscience te trouble tellement ?

— Ma conscience, non. Mais le souci que je porte à ta carrière, oui. Si chaque fois que j'envoie quatre douzaines de roses à une jeune personne, tu te précipites pour l'annoncer à Jimmy, tu n'auras plus le temps de faire grand-chose. D'ailleurs, je me suis mal expliqué : je ne vais pas changer d'avoué. Je vais purement et simplement le supprimer.

— Pour parler plus clairement, tu vas retirer tes dernières 10 000 livres ?

— Parfaitement. Et les confier à un banquier, qui, lui, ne se croira pas obligé de jouer les pères poules inquiets.

— Je suis désolé, John. Je m'imaginais que tu allais enfin cesser de ficher en l'air tout ton capital pour...

— Tu peux t'arrêter. Jimmy vient de me faire un très joli sermon. La prochaine fois, si vous voulez, vous pourrez me chanter un duo. Cela nous fera gagner du temps.

Et en sortant de chez Toby, John s'empressa d'envoyer six douzaines de roses rouges à une fort jolie rousse qu'il avait remarquée l'avant-veille dans un rôle épisodique au Haymarket.

16

Madaline Sayer, par contre, actrice arrivée, n'eut droit qu'à trois douzaines d'œillets grenat, en vertu d'une théorie chère à Mannering : plus les actrices sont connues, plus elles ont d'admirateurs, et plus elles reçoivent de fleurs. Il rétablissait donc une juste balance, et inondait de gerbes somptueuses les loges des débutantes. Ce qui lui attirait, et l'admiration pleine de reconnaissance de ces demoiselles, et la curiosité intéressée, et souvent un peu vexée, des vedettes connues.

Pour continuer à mériter le sombre avenir que lui prédisaient ses amis, après avoir commandé ses fleurs, invité à dîner la vedette et à déjeuner la débutante, John téléphona à son bookmaker favori, et lui demanda de jouer 100 livres sur Blackjack gagnant, dans la première, et de reporter le tout sur Fédora, gagnante dans la quatrième, le lendemain même à Lingfield.

Le lendemain, dans l'avion qui l'emportait vers Lingfield, trop tard pour la première — la rousse était vraiment charmante — mais à temps pour la quatrième, John Mannering, contemplant rêveusement le paysage verdoyant étalé sous ses yeux, eut le loisir de se livrer à ses réflexions.

Pour l'instant, il ne changerait rien à sa vie tant qu'il lui resterait une seule de ses dernières 10 000 livres. Après... Jusqu'ici, il n'avait pas voulu penser à cet « après ». Il savait trop bien ce que cela représenterait pour lui : perdre ses amis, ses distractions, sa voiture. Porter des vêtements tout faits. Manger n'importe quoi et n'importe où. Il avait cru toucher le fond du désespoir il y a un an, chez lady Overndon... Mais ce qui l'attendait serait bien pire, parce que plus sordide. Pourrait-il le supporter ?

Il ignorait que, sur le champ de courses qui grossissait maintenant devant ses yeux, le Destin — ce Destin auquel il ne voulait pas croire — l'attendait. Et que d'une façon assez inattendue, il avait coiffé le chapeau gris de l'authentique turfiste anglais.

Sous l'élégant chapeau gris s'étalait le gros visage rubicond de lord Fauntley — M. Fauntley il y a quelques années seulement. Sa Seigneurie était aussi énervée que les chevaux qui se pressaient derrière la corde, attendant le départ de la quatrième. A ses côtés, Mannering, nu-tête, mains dans les poches, cigarette aux lèvres, souriait tranquillement, tout à la chaleur du soleil, aux couleurs brillantes de la pelouse, à l'excitation du public.

Le départ fut donné, et lord Fauntley faillit bondir en avant avec les chevaux.

— Ah ! Mannering ! Je suis aussi ému qu'un débutant. Et pourtant j'étais encore en culottes courtes que je jouais déjà aux courses. Où est Fédora ?

— Fédora ? Numéro 5. Elle a pris un bon départ. Vous savez que Blackjack a gagné la première ?

— Oui, mais je m'en fiche bien. Où est Fédora ?

— Elle remonte.

— Sapristi, où ai-je encore pu fourrer ces maudites jumelles...

— Dans votre poche...

Et Mannering les lui tendit, remarquant machinalement combien il était facile de subtiliser quelque chose à un être passionné par un spectacle quelconque. Lord Fauntley semblait jouer sa vie entière sur la belle pouliche noire... Et pourtant il n'avait parié que 50 livres, alors qu'il aurait bien pu en perdre 100 000 sans s'en apercevoir ! Mannering, amusé, se demanda quelle tête ferait le digne homme si on lui subtilisait, par exemple, le joyau de sa collection de pierres précieuses, le fameux diamant Liska.

— Mes félicitations : vous avez bien manœuvré aux enchères du Liska...

— Au diable le Liska ! Où est Fédora ?

— Deuxième... Il reste deux kilomètres seulement.

— Deuxième ! Et c'est un sprinter ! Elle va gagner, Mannering !

— Mais Maryland remonte bien, remarqua distraitement le jeune homme.

Il pensait à l'entrefilet qu'il avait vu le matin même dans le *Times*. Avec une superbe indifférence, on y annonçait que lord Fauntley s'était porté acquéreur du diamant Liska, pour la somme de 35 700 livres. Ce qui signifiait que le Liska allait dorénavant orner le généreux décolleté de lady Fauntley. Dieu sait s'il ne manquait pas d'endroits où il aurait mieux été mis en valeur !

— Mais où est-elle donc, bon Dieu !

— Toujours seconde. Elle remonte. Ça y est, Simmons la fait démarrer...

Lord Fauntley sautait nerveusement d'un pied sur l'autre. John restait imperturbable, mais ses yeux brillaient d'excitation.

— Elle a gagné, hurla Fauntley à pleins poumons. Fédora a gagné !

Soudain il se ressaisit :

— Excusez-moi, Mannering. L'énervement... Je n'ai pas votre beau sang-froid. Et puis, j'ai joué 50 livres !

— Elle a gagné de deux bonnes têtes, remarqua tranquillement John.

Et, sans trop savoir pourquoi, pour la première fois de sa vie, il exagéra la vérité et décupla ses gains :

— Ma foi, je suis ravi : j'avais 1 000 livres sur Blackjack, reportées sur Fédora...

— 1 000 livres ! Et reportées !

Fauntley eut un sursaut d'étonnement.

— Eh oui !

Et Mannering éclata de rire.

A 7 heures, le même soir, lord Fauntley déposa son chapeau gris entre les mains de son maître d'hôtel, et lui commanda un whisky avec le moins de soda possible. Puis il rejoignit sa femme, s'effondra dans un fauteuil et annonça :

— J'ai rencontré John Mannering aux courses. C'est vraiment un garçon extraordinaire, Lucy. Il a gagné 9 000 livres sans bouger un cil.

— 9 000 livres !

Comme toujours, lady Fauntley se fit l'écho admiratif de son mari.

— Je l'ai invité à dîner ce soir.

— Quelle bonne idée vous avez eue ! Vous savez qu'il a quitté Mimi Rayford et qu'il déjeunait aujourd'hui au Ritz avec une petite tout à fait inconnue. Emma les a vus, elle vient de me téléphoner. Elle va être folle de rage si elle sait qu'il est venu dîner chez nous.

— J'en serai enchanté, ma chère ! Je pense que vous pourriez porter le Liska. Je crois que Mannering s'intéresse aux pierres précieuses, lui aussi. Nous verrons bien s'il remarque votre diamant !

— Le contraire me surprendrait.

Et lady Fauntley, qui, en trente années de mariage, n'avait jamais pris la moindre initiative, fut tout à coup frappée d'une idée subite, et donna, elle aussi, un petit coup de pouce au destin de John Mannering.

— Hugo, si nous demandions à Lorna de dîner avec nous...

3

— Jusqu'ici, se dit lord Fauntley entre deux bouchées de sole à la sauce aurore, ce dîner se passe plutôt bien. Avec Lorna, je ne suis jamais très rassuré. Quand je pense que je n'ai qu'une fille, et qu'elle est aussi mal élevée. Elle ne peut rien faire comme tout le monde. D'abord, une fille de son âge qui n'aime pas les bijoux, ce n'est pas normal. Elle le fait exprès, ma parole. Elle pourrait porter les saphirs Deveral, ce soir. Je les lui ai proposés. Mais non ! cette nigaude se contente d'un pendentif en grenats, avec une monture complétement démodée par-dessus le marché. Elle a encore dû dénicher cela chez un antiquaire de Chelsea. Quelle idée aussi d'aller habiter la plupart du temps ce minable petit studio, et dans ce quartier de bohémiens, alors qu'elle dispose de tout un appartement ici !... Pour mieux travailler, prétend-elle... Je dois dire que ses tableaux me plairaient plutôt : pas trop extravagants, ma foi. Mais pourquoi ne veut-elle pas faire le portrait de sa mère ? Ce qui m'ennuie le plus chez elle, c'est cette terrible habitude qu'elle a de dire absolument tout ce qui lui passe par la tête, au lieu de se contenter de le penser tout bas. Ce doit être pour cela qu'elle ne se marie pas, évidemment. Dès que nous lui présentons un garçon passable — je veux dire suffisamment riche pour moi — elle lui assène deux ou trois réflexions telles que le pauvre type n'ose plus lui adresser la parole. Ou bien elle annonce qu'elle va se mettre à étudier le russe ou le chinois, ou encore qu'elle comprend parfaitement la peinture abstraite. Ce soir, il n'y a pas encore eu d'anicroches. Mannering n'a pas l'air de l'agacer : elle n'a presque rien dit. C'est toujours ça. Mais ce serait trop beau, cela ne va pas durer.

Lady Fauntley non plus n'osait pas y croire.

— C'est bien le garçon le plus distingué que nous ayons jamais reçu ! Et quel bel homme ! Mais Lorna va certainement lui faire un affront. C'est chaque fois la même chose. Quand je pense qu'elle a osé traiter le jeune Stratton de petit imbécile parce qu'il lui disait que Mozart lui donnait la chair de poule et qu'il ne pouvait écouter la musique dissonante ! Un futur duc ! Et puis quelle idée aussi d'avoir mis une robe aussi simple, et toute noire, sans un bijou. Enfin sans un vrai bijou. Ce doit être encore une nouvelle invention de son couturier français qui porte un nom espagnol !

— Elle n'est pas vraiment belle, se disait Mannering. Mais elle est curieuse. Et exceptionnelle. Comment ce bouledogue de Fauntley et son pot à tabac de femme ont-ils pu fabriquer un pareil chat sauvage... Un front magnifique, trop grand pour une femme ; une bouche ravissante, pleine d'esprit... Un peu carrée pourtant. Des yeux gris scrutateurs, à qui rien ne doit échapper. Il paraît qu'elle fait d'excellents portraits, d'ailleurs. Sa robe vient certainement de France. Dior ? Balen-

24

ciaga plutôt... Ses moindres gestes sont gracieux, mais encore pleins de gaucherie. Cela semble fait exprès... « Me voilà ! Si je ne vous plais pas, tant pis ! » Elle a un menton ferme et volontaire, presque masculin. Mais les vagues de ses cheveux sont bien féminines ! On n'en perd pas un reflet. Bruns ? Non, plutôt noirs. Par-dessus le marché, elle a bien la tête de plus que ses parents. Encore des canards qui ont couvé un œuf de cygne ! Quelle curieuse fille ! Elle est... insolite, j'ai trouvé le mot exact. Mais je me demande pourquoi elle est ainsi en guerre contre le monde entier. Tout en elle paraît agressif, même son silence. Savoir si je vais trouver grâce à ses yeux...

Inconsciente des réflexions de ses voisins de table, Lorna écoutait distraitement la conversation qui, menée par lady Fauntley, était d'une consternante banalité. Elle n'acceptait que très rarement de dîner avec ses parents et avait cédé ce soir à un mouvement de curiosité qu'elle se reprochait déjà.

Elle dévisageait discrètement John sous ses longs cils noirs :

— Il doit être cynique, et j'ai horreur des hommes cyniques. Il est très beau, et j'ai horreur des hommes très beaux. Il est intelligent, il le sait, et je déteste cela. Pourquoi me plaît-il tellement, alors ?

Subitement, Mannering décida qu'il était temps de mettre fin aux fadaises de lady Fauntley. Il fixa un regard attentif sur le diamant Liska, qui fulgurait au milieu du décolleté pointu de la pairesse, s'étalant sur sa peau grenue.

— Quelle merveilleuse pierre, lady Fauntley ! C'est le diamant Liska, n'est-ce pas ?

Lord Fauntley s'épanouit :

— Je commençais à me demander si vous le reconnaîtriez ! Il paraît que ce vieux Rawson fait une vraie maladie de l'avoir laissé échapper, vous savez. J'avoue que je le comprends.

Soudain Lorna fit irruption dans la conversation. Les yeux baissés sur son assiette, elle demanda doucement, de sa voix chaude :

— Vous vous intéressez aux pierres précieuses, Mr. Mannering ?

— Surtout quand elles sont aussi bien portées.

Il vit la jeune fille ébaucher une moue de mépris, mais elle leva la tête et s'aperçut que les yeux noisette pétillaient d'ironie. Immédiatement, son visage s'éclaira, et lord et lady Fauntley, qui s'attendaient stoïquement à une réflexion acerbe, furent agréablement surpris en entendant leur redoutable fille murmurer suavement :

— Comme je vous comprends !

— Bon Dieu, pensa Fauntley, est-ce qu'elle s'amadouerait enfin ?

— On m'a dit, continuait Mannering, que votre collection est sans rivale.

— On a eu tout à fait raison. Vous pouvez me croire, Mannering, il n'y a pas en Angleterre une seule collection privée qui lui arrive à la cheville. Voulez-vous que je vous la montre après le dîner ?

— Avec plaisir.

Les yeux de Mannering défièrent ceux de Lorna. Les longues mains de la jeune fille ne portaient aucune bague, et sur sa gorge étincelante de blancheur, un seul bijou, ravissant, mais sans grande valeur, mettait la tache sombre de ses grenats.

— Vous n'aimez pas les bijoux ? lui demanda-t-il, curieux.

— Pas autant que je le devrais, paraît-il, répondit Lorna.

— Ici, interrompit lord Fauntley, c'est surtout moi qui aime les bijoux ! C'est amusant, n'est-ce pas ?

A la perspective de montrer sa collection, un léger énervement s'était emparé de lui. Mannering comprit qu'il était passionnément fier de ses joyaux, et son cœur battit un peu plus vite : pour qu'un dur-à-cuire comme le vieux lord tienne autant à des pierreries, il fallait qu'elles soient vraiment extraordinaires !

Le dîner terminé, les deux femmes ne se retirèrent pas, mais accompagnèrent Fauntley et Mannering. Ils passèrent dans une grande bibliothèque, la traversèrent sans s'arrêter, se dirigeant vers la porte que lord Fauntley ouvrit à l'aide d'une petite clef.

— Venez, Mannering... Vous savez que vous êtes privilégié : il n'y a pas plus d'une demi-douzaine de personnes qui aient jamais mis les pieds ici. Attention à la porte, Lorna. Si elle se refermait, nous serions enfermés. Il n'existe qu'une seule clef. Nos amis pourraient lire notre notice nécrologique dans le *Times* avant qu'on nous ait sortis de là !

Sur cette réjouissante constatation, lord Fauntley s'était attaqué à la combinaison d'un des nombreux coffres qui tapissaient les murs de la chambre forte. Celle-ci semblait à l'abri de toute effraction. Seule une bonne charge de dynamite aurait pu en venir à bout. Après quoi, il fallait encore forcer les coffres-forts ! Evidemment c'était une entreprise digne d'Hercule que de subtiliser à lord Fauntley quelques-unes de ses précieuses pierreries. Pratiquement impossible. Seul un maître cambrioleur, un virtuose, pourrait...

Cette fois, l'idée était là, nue, éclatante, sans le moindre fard, presque palpable. Mannering sentit une fièvre étrange l'envahir. Il n'arrivait pas à détacher ses yeux des mains courtaudes de Fauntley. Aucun cambrioleur n'aurait jamais l'occasion qu'il avait lui, en ce moment : celle de connaître la combinaison du coffre.

Le système de protection de Sa Seigneurie était presque parfait. Il avait pourtant une paille, et non des moindres : le manque de mémoire du respectable Pair. Il commençait à perdre patience :

— Au diable cette combinaison. Excusez-moi, Lucy, mais je n'arrive jamais à m'en souvenir. D'autant qu'elle change chaque semaine. Heureusement, je l'ai notée.

Il fouilla dans sa poche et en sortit un petit carnet noir :

— Ah ! voilà ! 4 à droite, 6 à gauche, 7 à droite, 10 à gauche, 4, 8. Il referma le carnet et l'enfouit dans son smoking.

Mannering détournait les yeux avec affectation, mais les chiffres dansaient dans sa tête. Il ne pouvait pas les arrêter. Il les connaissait maintenant, et ne les oublierait jamais. Les deux derniers seuls lui manquaient, mais il lui suffirait de regarder les mouvements correspondants de Fauntley pour les retrouver. Ses joues étaient brûlantes. Avec un terrible effort de volonté, il leva les yeux, et regarda Lorna en souriant. Les beaux yeux gris pétillaient de malice. Que penserait-elle si elle pouvait deviner ce qui se passait en lui ?

Les chiffres du coffre-fort commençaient à cliqueter. Ils descendirent à 10, puis repartirent : vers la droite, 4 ; puis à gauche, 6 ; puis à droite... Mannering les entendait tous tomber l'un après l'autre comme des gouttes d'eau, régulières et implacables.

Fauntley poussa un soupir impatient :

— Vous voyez, Mannering, ma chambre blindée est absolument sans défaut ! D'ailleurs, c'est la meilleure de tout Londres, c'est-à-dire du monde entier.

Il saisit un grand écrin de cuir violet. Les mains de John tremblaient violemment. Il les enfouit dans ses poches.

— Par exemple, avez-vous remarqué que j'ai bien pris soin de fermer la porte de la bibliothèque derrière nous ?

— Pour avertir les domestiques que vous partiez sur le sentier de la guerre ? demanda Lorna d'un air narquois.

— Petite sotte ! Comme si tu ne le savais pas ! Non, pour couper le système d'alarme. La porte de la bibliothèque n'est jamais fermée à clef. J'ai donné des instructions à ce sujet, et je vous prie de croire qu'elles sont bien suivies. En effet, dès que l'on touche à la porte de la chambre blindée, cela déclenche un carillon qui ne passe pas inaperçu je vous assure. En tournant la clef de la bibliothèque, on coupe le contact. C'est ingénieux, n'est-ce pas ?

— C'est merveilleux, répondit John sans mentir.

— N'est-ce pas ? Tenez, Mannering, que dites-vous de cela ?

L'écrin de cuir violet s'ouvrit. Sur le velours sombre, les diamants étincelaient. Un diadème, des bagues, des bracelets, et un extraordinaire collier haut de 5 centimètres au moins. Tout cela vivait, fulgurait, frémissait, et semblait subjuguer les spectateurs. Lorna elle-même ouvrait de grands yeux émerveillés. Et Mannering, pour la première fois de sa vie, se sentit littéralement fasciné par des pierres précieuses.

Fauntley expliqua d'une voix respectueuse :

— C'est la collection Gabrienne. Les plus belles pierres qu'on ait taillées au cours du XIXe siècle. Ce que je possède de plus beau, d'ailleurs. J'ai d'autres diamants, mais pas aussi bien assortis. Des rubis, également : les rubis Karentz, vous devez en avoir entendu parler ? Et les saphirs Deveral que Lorna ne veut jamais porter, et qui lui iraient si bien pourtant. Attendez, je vais vous les montrer. Ils sont dans le troisième coffre.

Mannering vit les rubis, et les saphirs, et une énorme émeraude. La caverne d'Ali-Baba rutilait sous ses yeux ahuris. Dans le seul coffre où Fauntley rangeait la collection Gabrienne, il apercevait une douzaine d'écrins plus petits.

Et il connaissait la combinaison de ce coffre...

Subitement, le plaisir et l'excitation qu'il avait trouvés ces derniers temps en pariant sa fortune sur des chevaux hasardeux lui parurent dignes d'un enfant de chœur. Subtiliser quelques-uns de ces écrins si précieusement gardés, voilà un passe-temps passionnant qui devait donner à la vie la peine d'être vécue.

Il détacha à grand-peine ses yeux des somptueux rubis Karenz, dont Fauntley racontait l'histoire d'une voix émue. Un grand-duc, une comtesse autrichienne, un marquis espagnol... Un véritable Gotha défilait. Lady Fauntley était éperdue d'admiration. John rencontra les yeux de Lorna, gentiment moqueurs. Il esquissa un sourire, et elle lui répondit sans trace d'ironie :

— Impressionné, Mr. Mannering ?

— Fasciné, plutôt ! répondit John du fond du cœur.

— Vous n'êtes ni le premier ni le dernier, dit Fauntley, rangeant ses précieux rubis dans leur coffre. Voilà ! Je vous ai montré les plus belles pièces. Nous pouvons les laisser dormir maintenant. Avec une chambre forte aussi perfectionnée, et un gardien armé dans la bibliothèque, elles sont en sécurité.

Ils retraversèrent lentement la bibliothèque. Les mots « gardien armé » bourdonnaient dans l'oreille de Mannering. Voilà un détail auquel il ne s'était pas attendu ! Il jeta un coup d'œil autour de lui. Dans un coin, installé dans un fauteuil, un homme lisait. Il ne leva pas les yeux lorsque Fauntley, se dirigeant vers un petit secrétaire, ouvrit un tiroir pour y jeter négligemment la clef de la chambre forte.

Mannering comprit que c'était le dernier signe que lui faisait le Destin. Il connaissait le signal d'alarme, la combinaison du coffre, et maintenant, il savait où Fauntley rangeait la clef...

Il se retourna encore vers le gardien : un petit homme trapu et solide, qu'il serait difficile de maîtriser. Difficile. Mais pas impossible.

Lorna et John terminèrent la soirée ensemble au

Stork Room. La jeune fille avait annoncé qu'elle se couchait habituellement fort tard, et John n'avait pas la moindre envie de la quitter. Elle dansait admirablement. Depuis un moment, John cherchait vainement quel pouvait être son parfum. Il ne ressemblait à rien de connu, lui non plus. Léger, un peu citronné. Une odeur de landes, de forêts de pins, de mousse, qui contrastait avec la sobre élégance de la robe noire. Un vrai parfum de sauvageonne.

— Avez-vous remarqué, observa Lorna d'un ton agressif, l'air ravi et complice de mes parents quand ils nous ont vus partir ensemble. Ils vont faire des rêves pleins d'espoir cette nuit.

— Pourquoi êtes-vous si amère ? Après tout, s'ils ont envie de vous marier ?

— Après tout, s'ils ont envie de perdre leur temps, évidemment.

Puis elle demanda d'une façon abrupte :

— A quoi pensez-vous ?

— Si je vous le dis, vous n'allez pas me croire, je vous préviens ! Je me demandais à quoi ressembleraient vos yeux à la lueur d'une lampe comme celle que votre père braquait sur ses précieux bijoux tout à l'heure. A des aigues-marines, probablement ?

— Ma foi, je vous crois bien capable de penser de pareilles sottises !

— Merci.

— Et puis ?

— Je me demandais aussi quelles seraient mes chances de pénétrer dans la chambre-forte, dit-il en éclatant de rire.

Elle leva les yeux vers lui mais, à sa grande surprise, ne sourit pas. Gravement, elle murmura :

— Oui, je vous crois capable de penser cela, aussi... De le penser... et même de le faire.

John prit un air faussement scandalisé :

— De le faire ! Rassurez-vous, je n'aurai aucun mal à résister à la tentation !

De l'air le plus naturel, il enchaîna :

— A mon tour, à quoi pensez-vous ?

— Je voudrais faire votre portrait.

— Ne me demandez jamais cela. Rester immobile pendant des heures, et devant un observateur tel que vous ! Je préfère une bonne photographie.

— Je comprends cela : c'est moins révélateur, n'est-ce pas ?

— Et d'après vous un portrait révélerait quoi ? Que je suis futur Premier Ministre, ou bien que je finirai mes jours dans un cloître ?

— Ni l'un ni l'autre, probablement. Je ne sais pas encore.

Mannering éclata de rire et serra la jeune fille un peu plus fort contre lui :

— J'aime beaucoup ce « pas encore », vous savez...

2

4

A son réveil, le lendemain matin, Mannering fit deux constatations : la fille de lord Fauntley l'intriguait et l'intéressait... mais la chambre forte de lord Fauntley l'intéressait bien davantage. Il se souvenait de la combinaison du coffre, et aucun détail du dispositif de sécurité ne lui avait échappé. Une seule chose le tracassait, c'était le gardien, et son arme.

En quelques heures de réflexion, Mannering se persuada aisément qu'il existait peu de métiers qui vous fassent gagner aussi rapidement et aussi facilement beaucoup d'argent que celui de cambrioleur... « Gentleman-cambrioleur ». Le mot ne lui déplaisait pas, d'illustres précédents dansaient dans sa mémoire, et il lui trouvait un air Robin des Bois du meilleur ton !

De toute façon, il lui fallait de l'argent, et très vite.

L'après-midi même, Mannering se décida à plonger. Le plus vite serait le mieux. Le plongeon était de taille, et il n'y avait pas une minute à perdre.

Avant tout, il lui fallait une arme en cas de danger. De nature pacifique, John aurait souhaité trouver quelque chose de terrifiant, mais d'inoffensif. L'idéal aurait été un pistolet à gaz... Mais c'était là un objet difficile à se procurer dans l'heure, et en attendant, il pensa à un vieux revolver de l'armée qui dormait au fond d'un tiroir, veuf de toute munition. Il ne le chargerait pas, mais pourrait s'en servir pour effrayer un éventuel empêcheur de danser en rond... ou pour l'assommer d'un gentil petit coup de crosse.

Ensuite il consacra une bonne heure à faire divers achats, entrant chaque fois dans un magasin différent. Deux petits tournevis, deux limes, un minuscule marteau, une paire de gants de caoutchouc, une paire de chaussures légères à semelles de crêpe. Finalement, un sourire narquois aux lèvres, il acheta un mouchoir blanc, chiffré. Au hasard, il choisit les initiales « L. B. ». Cela ferait un excellent indice, qui expédierait la police sur une fausse piste.

Il ne lui manquait plus rien. Il se sentait parfaitement prêt.

Le plus difficile pour lui fut alors d'attendre patiemment l'heure qu'il s'était fixée : 1 heure du matin. Il était assez lucide pour se rendre compte que la nécessité ne le poussait pas seulement, mais surtout son démon favori, le goût du risque. Jusqu'ici, celui-ci s'était contenté de lui faire jouer sa vie, pendant la dernière guerre, dans un petit Spitfire ; et ensuite sa fortune, sur les champs de courses. Jamais encore il ne l'avait obligé à mettre en jeu son honneur, et sa liberté. A cette pensée, une excitation inconnue s'empara de lui.

Mais en apparence, c'était toujours le même John Mannering, impeccable, souriant, seul pour une fois, qui dînait tranquillement au *Ritz*, si l'on peut appeler « seul » un homme que suivaient presque tous les regards féminins de l'assistance.

A minuit, tel Cendrillon, il se métamorphosa. Un vieil imperméable de l'armée américaine, emprunté un soir de fête à un pilote en pleine euphorie, un feutre marron et ses chaussures silencieuses, transformèrent l'élégant Mannering en un passant des plus anonymes. Lorsqu'il approcha de l'hôtel des Fauntley, son excitation disparut, et il se sentit calme et absolument maître de ses nerfs. Il entra dans le parc par une porte latérale, plongée dans l'ombre, et séparée de la rue par une haie touffue. Il ne pouvait pas mieux tomber : une des fenêtres de la bibliothèque ouvrait sur ce côté de la maison. Elle était éclairée d'ailleurs... une lampe brillait dans un coin et l'on pouvait distinguer le gardien penché sur son livre, attendant patiemment que le jour veuille bien remplacer la nuit. C'était là le véritable obstacle pour John : cet homme plongé dans sa lecture. A lui de se montrer le plus malin, ou le plus fort.

Un sourire crispé aux lèvres, il s'approcha de la fenêtre. Mais pendant ces quelques mètres, subitement, tous les dangers de son entreprise lui apparurent avec une éclatante clarté. Son sourire s'évanouit. Un seul faux mouvement, et le gardien l'entendrait. Il donnerait l'alarme, appellerait la police... et lord Fauntley, qui évidemment le reconnaîtrait. Ses mains se mirent à trembler, et il s'arrêta quelques secondes.

Quel fou il était ! A son âge ! Comment osait-il se lancer ainsi à l'aveuglette, alors qu'il fallait des mois d'entraînement aux professionnels de l'East End pour mettre au point leurs méthodes. La puérilité de son geste l'effraya... il ignorait tout de ce métier difficile... et pour son coup d'es-

sai, il s'attaquait à un gardien armé, et tout à fait
éveillé !

Mais d'autre part, les avantages de la situation
étaient appréciables. Une fois dans la chambre
blindée, rien ne pourrait plus l'arrêter. Il se répéta la combinaison du grand coffre. Il la savait
sur le bout des doigts. Et il était le seul homme
de Londres à la connaître, avec son innocent
propriétaire, si fier de son installation qu'il avait
introduit le loup dans la bergerie avec la plus par-
faite tranquillité d'esprit.

Le souvenir de la sottise de lord Fauntley lui
rendit subitement du courage. Et aussi la petite
phrase qu'avait prononcée Lorna, sans la moindre
ironie : « Je vous crois capable de le penser... et
même de le faire ! »

Il n'était plus temps de reculer, la porte de la
chambre forte était à quelques mètres de lui :
il pouvait voir briller le bouton de cuivre poli de
la poignée. Soudain la vision de la collection Gabrienne traversa son esprit en un éclair éblouis-
sant. Il respira profondément, enfouit sa main
gantée dans sa poche, et caressa son vieux revolver. Ils avaient traversé des moments bien plus
pénibles, tous les deux... Evidemment, à l'époque,
il était soigneusement chargé ! Mais la guerre était
finie, et les lois sévères pour les porteurs d'armes
à feu.

Il se sentit brusquement beaucoup plus sage, et
beaucoup mieux préparé pour son expédition.
Dans chacune de ses poches se trouvait un ins-
trument utile : tournevis, limes, lampes électriques... et le mouchoir marqué L. B.

Un coup d'œil à la fenêtre lui apprit que le
châssis supérieur bâillait légèrement. Elle n'était

donc pas verrouillée : s'il arrivait à soulever le châssis inférieur sans le faire grincer, il pourrait pénétrer dans la pièce avant que le gardien ne s'en aperçoive. De plus, Fauntley, généreusement, lui avait appris hier soir que la fenêtre ne déclenchait pas le signal d'alarme.

Un peu au hasard, il choisit parmi ses outils un tournevis, et l'inséra sous le cadre de bois. La fenêtre remua de quelques centimètres, sans le moindre bruit. Encouragé, il appuya encore, très doucement. La fenêtre s'entrebâilla davantage... il pouvait y passer la main. Il remit son tournevis dans sa poche, prit le revolver, et le déposa sur le rebord. Soudain, plus rien n'exista pour lui que cet homme assis là-bas dans un coin, un livre à la main, son visage énergique brutalement éclairé par la lampe... Un homme capable de tirer s'il voyait un intrus... Et de le tuer...

Mais ses doigts ne tremblaient pas lorsqu'il souleva encore un peu la fenêtre, centimètre par centimètre.

Soudain l'homme fit un mouvement. Mannering s'arrêta, les mains subitement glacées... Le gardien leva la tête, regarda dans la direction de la fenêtre, et plongea la main dans sa poche. Mannering, fasciné, restait immobile, incapable de bouger malgré la catastrophe imminente.

La main du gardien ressortit de sa poche. Elle tenait un grand mouchoir à carreaux... et il se mit à éternuer violemment. Le cœur de Mannering s'était remis à battre, et son esprit, vif comme l'éclair, lui montra les avantages de cet incident ridicule. Le gardien éternua trois fois, et chaque fois Mannering en profita pour lever un peu plus haut la fenêtre. Elle était presque complètement

ouverte lorsque l'autre remit son mouchoir dans
sa poche. Prudemment, Mannering se rejeta dans
l'ombre. Bien lui en prit, car l'homme jeta un
coup d'œil rapide, mais scrutateur, dans toute la
pièce.

Ce doit être le diable qui a fait éternuer ce
brave homme! murmura en lui-même l'ancien
Mannering, les yeux brillants d'amusement... Mais
le nouveau Mannering le rappela à l'ordre : l'homme avait bougé. Il sentait un courant d'air et en
cherchait la cause. La fenêtre ouverte allait lui
paraître suspecte. C'était à nouveau la catastrophe... ou bien, au contraire, une excellente oppor-
tunité !

L'homme s'était levé, et atteignait la fenêtre.
Lisant sur le visage énergique, John comprit que
le gardien se demandait si cette fenêtre avait été
laissée ouverte par négligence, ou si elle venait de
l'être à l'instant.

Il saisit alors son revolver par le canon, le serra
de toutes ses forces, et bondit, étendant le bras
droit. La crosse de son arme alla frapper violemment le plexus du gardien, qui s'écroula avec un
petit soupir. Mannering escalada aussitôt la fenêtre, mais son imperméable se prit dans la croisée, et il perdit un temps précieux à le dégager.
Le gardien était revenu à lui, et étendait déjà la
main vers son revolver, mais Mannering fut plus
rapide que lui. Il leva son arme, et le gardien
interrompit aussitôt son geste.

— Les mains en l'air ! dit Mannering, d'une
voix rauque et basse.

Le gardien ouvrait des yeux ahuris. La vue de
son agresseur eut l'air de l'inciter à la prudence.
Sanglé dans son imperméable, son feutre enfoncé

jusqu'aux yeux, un grand mouchoir noué autour du cou, Mannering se savait impossible à identifier. Il s'avança. Les mains du gardien remontèrent lentement jusqu'à ses oreilles, et Mannering comprit que cet homme ne risquerait pas sa vie pour les petits cailloux de lord Fauntley.

D'une voix toujours méconnaissable, il ajouta :
— Garde tes mains en l'air. Et relève-toi !

Sans un mot, l'autre obéit. John sourit légèrement et se sentit l'âme de Perrette, son pot à lait sur la tête... Tout ceci n'était que jeu d'enfant ! Puis il s'éloigna de sa victime, et gagna le centre de la pièce.

— Tourne-toi, face au mur, et garde tes mains toujours en l'air, surtout !

C'était aussi intéressant qu'un bon Western, mais pas plus émouvant ! Mannering avait beaucoup de peine à se persuader qu'il s'agissait en ce moment de sa liberté et de son honneur, de sa vie en un mot. Il lui semblait plutôt revivre sa jeunesse et jouer aux Indiens avec le fils du garde-de-chasse. Mais il revint à la réalité : la partie la moins agréable de son travail restait à faire. Jusqu'ici, il n'avait jamais eu l'occasion de frapper un ennemi désarmé, et surtout qui lui tournait le dos. Il serra les lèvres, se rapprocha du gardien et, tenant son revolver par le canon, frappa violemment l'homme immobile, à la nuque. L'homme suffoqua, vacilla ; d'un magnifique uppercut agrémenté d'un coup de pied non moins réussi, Mannering l'acheva, et recueillit entre ses bras un corps inerte. Tellement inerte que la panique s'empara de lui, et qu'il ne put s'empêcher de chercher le pouls du pauvre gardien. Il battait régulièrement. Mannering se moqua de lui-même, mais poussa un soupir de soulagement. Puis il cherchait le mouchoir de l'homme, le trouva, en fit un tampon qu'il lui enfonça dans la bouche. Le voilà silencieux pour un petit moment ! se dit-il tout en se servant de la ceinture de sa victime pour lui lier étroitement les poignets derrière le dos.

Le premier obstacle, et le plus dangereux, était franchi. Restait la chambre forte.

Mannering se dirigea vers le petit bureau où Fauntley avait rangé la clef, la veille au soir. Il ouvrit le tiroir : la clef était là !

La joyeuse excitation qui s'était emparée de lui tout à l'heure avait disparu. Il n'avait plus qu'une seule envie : en finir le plus vite possible. Deux sentiments se disputaient son esprit : le dégoût qu'il éprouvait à trahir la belle confiance de lord Fauntley et le goût très vif qu'il avait pour les situations par trop comiques ! Il apprit en même temps que le plaisir du jeu disparaît avec les obstacles. Rien ne l'arrêterait plus maintenant. Il n'y avait pas une chance sur mille pour que quelqu'un entrât dans la bibliothèque à cette heure de la nuit. La partie difficile était terminée et le reste ne présentait plus beaucoup d'intérêt.

Il se dirigea vers la chambre forte, pressé d'en finir, prit la clef, l'approcha de la serrure... puis devint mortellement pâle, et s'arrêta. Son cœur tressaillait violemment, et ses doigts tremblaient. Il venait de frôler la catastrophe. Et pourtant lord Fauntley l'avait bien averti, hier soir ! « Si la porte de la bibliothèque n'est pas fermée à clef, le moindre contact avec la serrure de la chambre forte déclenche une retentissante sonnerie d'alarme ! » Il alla tourner lentement cette clef, l'enfouit dans sa poche, et la panique qui s'était emparée de lui disparut. Il se força à sourire, et enfonça la clef de la chambre forte dans sa serrure, en murmurant tout bas :

— Ça, c'est ce que j'appelle une émotion ! Et je ne l'ai pas volée : ce brave Fauntley m'avait prévenu, pourtant !

Sa main ne tremblait plus. La lourde porte tourna sur ses gonds. Il entra dans la chambre blindée, triomphant maintenant. Le troisième coffre à droite était celui dont il connaissait la combinaison... et il contenait la collection Gabrienne, et une douzaine d'autres écrins. Sans cesser de se répéter tout bas la combinaison, il alla au coffre et tourna doucement le bouton. Après quelques instants interminables, le déclic final se fit entendre. Devant lui, s'étalaient les écrins de cuir aux teintes multicolores. Le grand écrin violet des diamants Gabrienne le fascinait, mais il eut la sagesse de résister. Presque toutes ces pierres étaient historiques, et possédaient un signalement répandu dans le monde entier. Il ne pourrait jamais les revendre. Au hasard il prit donc trois autres écrins aux couleurs tendres, et les enfouit dans sa poche sans les regarder ni les ouvrir. Il faisait confiance à Fauntley pour le choix de ses bijoux ! Sans se donner non plus la peine de refermer le coffre, il fit demi tour, et sentit soudain quelque chose glisser le long de sa jambe. Il sursauta, et regarda à terre. Un des écrins avait glissé. Il le ramassa, et s'aperçut que le couvercle portait une petite plaque d'or. Fronçant les sourcils, il déchiffra une inscription gravée : « Pour Lorna. Noël 1942. Papa. »

Pour Lorna ! Il sembla rencontrer le regard de

la jeune fille : moqueur, puis indigné, terriblement déçu enfin... Lentement, sachant à l'avance ce qu'il allait trouver, il examina les autres écrins. Ils portaient tous la même petite plaque. Seules les dates variaient. Depuis des années lord Fauntley offrait à sa fille des bijoux qu'elle ne portait jamais.

L'ironie de la situation fit à nouveau briller les yeux de Mannering. Il savait qu'il ne pouvait pas davantage prendre les bijoux de Lorna que la collection Gabrienne. Le bon sens le plus élémentaire lui interdisait d'emporter celle-ci... Mais une raison encore plus puissante l'empêchait de s'emparer des autres écrins. Pour rien au monde il n'aurait volé la jeune fille.

Il inventoria soigneusement le contenu du coffre : les trop fameux diamants exceptés, il n'y avait là que les bijoux de Lorna Fauntley.

— Si ça t'amuse de jouer au preux chevalier, c'est ton affaire, après tout ! marmonna-t-il, mi-furieux, mi-narquois. Seulement, mon garçon, il y a un petit ennui : tu ne connais pas la combinaison des autres coffres !

Et pour ne pas céder à la tentation, sachant qu'il ne se le pardonnerait jamais, il repoussa vivement la petite porte d'acier.

Après tout, il avait tout son temps : pourquoi ne pas essayer de s'attaquer à un autre coffre ? Le hasard pouvait lui donner un coup de main ? Le gardien ne bougeait toujours pas.

A ce moment précis, il entendit un frémissement, à peine perceptible. Il se tourna brusquement vers la fenêtre. Ce n'était peut-être que son imagination, mais peut-être aussi un agent, ou un domestique ?

Et, en effet, il y avait quelqu'un à la fenêtre. Le frémissement reprit. C'était un froissement de tissu soyeux. Vif comme l'éclair, John éteignit la lumière de la chambre forte, traversa rapidement la bibliothèque, serrant son revolver dans sa main crispée. A deux mètres environ de la fenêtre, il s'arrêta net, terrifié. Il venait d'être vu, et reconnu certainement. Reconnu par Lorna Fauntley.

Son visage et ses épaules brillaient dans l'obscurité. Elle était en robe du soir, et se tenait derrière la fenêtre ouverte, sans bouger, ouvrant de grands yeux étonnés, et le dévisageant résolument. Soudain il comprit qu'elle ne le reconnaissait pas, qu'elle ne pouvait pas le reconnaître ! Il avait remonté son mouchoir jusqu'à ses yeux tout à l'heure, après avoir ligoté le gardien. Entre le col de son imperméable et le rebord de son chapeau, on ne pouvait rien discerner de son visage. Pourquoi restait-elle ainsi immobile ?

Il s'aperçut alors qu'il tenait son revolver droit devant lui, c'est-à-dire braqué sur elle, depuis qu'il s'était avancé... Elle n'osait pas bouger parce qu'elle avait peur qu'il tire, tout simplement ! Il se sentit alors soulagé du poids affreux qui venait de s'abattre sur lui : si elle l'avait reconnu, elle n'aurait pas eu peur du revolver. Et elle lui aurait adressé la parole.

Cette fois encore, l'ironie de la situation lui apparut ! Depuis ce soir, il avait rencontré différents obstacles. Et le seul acteur efficace avait été ce vieux revolver inoffensif ! Il n'avait eu à exercer ni son intelligence ni sa présence d'esprit : simplement à lever la main...

Il s'avança vers Lorna, très près. Il voyait sa

poitrine se soulever rapidement, mais régulièrement. Elle ne tremblait pas. D'un geste menaçant
de son arme, il l'invita à entrer. Elle hésita, mais
il fit un pas vers elle et elle céda.

— D'accord, je viens ! dit-elle d'une voix à
peu près aussi émue que si elle commandait un
whisky.

Et rassemblant autour d'elle des flots de volants pourpres, elle sauta dans la chambre d'un
bond gracieux, découvrant une jambe mince et
une cheville ravissante. Malheureusement, Mannering n'avait guère le temps de s'attarder à de
pareils détails. D'un geste, il lui fit signe d'avan-
cer et de s'éloigner de la fenêtre. Elle obéit, une
moue méprisante sur sa jolie bouche. John ne
put s'empêcher de rougir sous son masque, tout
en la suivant de très près. Le plus simple était de
l'enfermer dans la chambre blindée, et de laisser
la clef sur la porte, à l'extérieur. Il pourrait ainsi
s'en aller, sans être obligé de la bâillonner ou de
la ligoter... ce qu'il n'aurait certainement pas eu
le courage de faire.

Cette fois encore, le langage du revolver fut
suffisant. Elle haussa les épaules, mais se dirigea néanmoins vers la chambre forte. Soudain,
elle s'arrêta, le visage tendu... Mannering s'efforça de ne pas la quitter des yeux, mais son corps
tout entier n'était plus qu'oreilles... Il avait lui
aussi entendu un coup léger à la porte de la
bibliothèque. Puis la voix de lord Fauntley retentit, suraiguë, presque hystérique :

— Morgan ! Bon Dieu, ouvrez-moi vite !

Mannering comprit qu'il ne lui restait plus
qu'une ou deux minutes pour s'enfuir... Fauntley allait donner l'alarme, et les fenêtres seraient

immédiatement surveillées. Pendant quelques mortelles secondes, son cerveau refusa de fonctionner. Puis la machine se remit en route. D'une voix qu'il reconnut à peine lui-même, rauque, gutturale, éraillée, il ordonna à la jeune fille :

— Entrez là-dedans, vous !

Cette fois, elle pâlit, effrayée par la soudaine férocité de son accent. Elle recula immédiatement. Mannering la suivit, la main gauche tendue vers Lorna pour la pousser. Mais plutôt que de subir son contact, elle se retourna et se précipita, en courant presque, dans la chambre forte.

Il tourna la clef et la laissa sur la serrure.

Fauntley avait cessé d'appeler ; on entendait retentir ses pas dans le grand hall dallé. Puis un gong résonna, majestueux, menaçant. John avait à peine une minute pour s'enfuir ! Il bondit par la fenêtre, retomba sur ses pieds comme un chat, se précipita dans le jardin et, dédaignant l'entrée principale, se dirigea vers une petite porte située derrière la maison. Elle donnait sur une ruelle aboutissant à Park Lane. Comme il courait à travers le jardin, il aperçut des lumières qui s'allumaient à toutes les fenêtres. Il respirait violemment, mais ses jambes étaient encore bonnes, et il atteignit, sain et sauf, la rue silencieuse. Ralentissant un peu son allure, il enleva son imperméable. Dans la poche, il glissa le mouchoir marqué « L. B. ». Puis, avec un petit sourire ironique, il laissa tomber le tout sur le sol. Il avait maintenant cessé de courir, et respirait régulièrement quand il arriva dans Park Lane. Se dirigeant vers Piccadilly, il ne souhaita plus qu'une seule chose : un taxi libre !

Le diable lui en envoya un presque aussitôt.

Mannering ordonna au chauffeur de l'emmener à Victoria Station. Puis il se renversa sur la banquette, ferma les yeux, et poussa un grand soupir de soulagement. Il était en nage, et tremblait légèrement, mais toute panique l'avait abandonné. Le plongeon était fait.

Il n'avait pas l'impression d'un échec, ce soir, car il avait appris bien des choses qu'il n'aurait jamais pu apprendre autrement. Il cessa de trembler, et éclata de son rire joyeux, si communicatif que le chauffeur sourit gentiment :

— On dirait qu'on vient de vous en raconter une bien bonne, ma foi !

— Excellente, en effet, répondit Mannering.

Et il continua à rire de bon cœur.

Le surlendemain, il rencontrait lord Fauntley au bar du Carlton. Celui-ci cherchait une oreille complaisante pour raconter une vingtième ou trentième fois son « cambriolage ».

— On ne m'a rien pris, Dieu soit loué ! Lorna a dû effrayer le voleur, avant qu'il n'ait eu le temps de trouver la combinaison. J'avais été réveillé par un léger bruit, et je me suis précipité, naturellement.

— Pas de blessé, au moins ? demanda John, d'un air désinvolte, mais le cœur battant.

— Oh ! le gardien a été un peu bousculé, mais ce n'est pas grave. Dorénavant, d'ailleurs, j'ai décidé de prendre deux gardiens, Mannering.

— Ce sera plus sage, dit gravement John. Et la police ?

— Pff ! la police !

Fauntley eut un ricanement dédaigneux.

— Vous y croyez encore, vous ? Ils ont mis la

main sur l'imperméable de notre homme, et même sur un mouchoir, chiffré par surcroît ! Et avec tout cela, ils n'ont rien trouvé... Heureusement, remarqua Sa Seigneurie avec un soupir de soulagement, qu'ils n'ont pas à chercher les bijoux ! Parlons d'autre chose. Quand revenez-vous dîner à la maison, Mannering ? Jeudi, cela vous va ?

Le jeudi suivant, pendant le dîner, Mannering se persuada aisément que Lorna ne l'avait pas reconnu. Etincelante dans une robe bleu sombre, elle parla abondamment cette fois-ci, et se montra spirituelle et amusante, au grand étonnement de ses parents. Mannering découvrit que les sympathies de la jeune fille allaient plutôt vers le voleur que vers le gardien. Mais néanmoins, elle avait eu très peur lorsqu'il lui avait ordonné d'entrer dans la chambre forte.

Ils allèrent ensuite danser. Dans l'Aston-Martin de John, ils continuèrent à parler du cambriolage :

— Pourquoi êtes-vous descendue aussi tard ? 3 ou 4 heures, je crois ? demanda Mannering.

— Non, 2 heures et demie seulement... Je revenais de *La Bouteille Verte*. Je me couche le plus tard possible en ce moment ! Je suis passée par l'entrée de service, j'ai vu de la lumière dans la bibliothèque, j'ai jeté un coup d'œil et... Oh ! ne parlons plus de tout cela, voulez-vous ? Ce n'est pas intéressant !

Elle ajouta néanmoins, d'un air songeur :

— Si ce n'est que cet homme était vraiment d'un sang-froid incroyable !...

5

L'inspecteur William Bristow était d'âge moyen, de taille moyenne, de corpulence moyenne. Deux ou trois petites touches de gris dans ses épais cheveux bruns, et quelques rides autour des yeux indiquaient seuls qu'il n'avait plus l'âge auquel il avait fait ses débuts dans la police. Droit comme un I, les épaules toujours aussi larges, le ventre toujours aussi plat, et les yeux certainement plus vifs et plus souriants qu'il y a vingt-cinq ans, il avait été gratifié, pendant ces vingt-cinq années, de trois surnoms seulement par ses collaborateurs. C'est évidemment peu, mais la police n'a jamais passé pour le rendez-vous des poètes ou des littérateurs. A Scotland Yard, on appelait donc Bristow, le Dandy, le Philosophe, ou le Bûcheur... selon qu'on faisait allusion à son élégance, à son égalité d'humeur, ou à sa patience et à son entêtement au travail.

Moins respectueux, mais plus perspicaces et plus familiers, les membres de cette aimable profession qui vit aux dépens des autres et à la barbe de la police, appelaient l'inspecteur le Vieux Bill.

Ajoutons que Bristow ne buvait jamais d'alcool, se rasait matin et soir, mais fumait sans discontinuer des cigarettes âcres, dont la nicotine jaunissait fâcheusement le joli gris de sa petite moustache très militaire d'aspect. Et qu'il avait deux grands fils, et une fille de quinze ans, sévèrement et tendrement élevés. Mais la grande originalité de Bristow parmi ses collègues et ses amis, était qu'après vingt-cinq ans de mariage, il adorait toujours sa femme.

Par un beau matin d'août — un bien trop beau matin, pensait Bristow ! — il marchait le moins vite possible sur les pavés desséchés et déjà chauds de Mile End Road. De temps à autre, il croisait un vieil ennemi : le quartier en abritait un bon nombre. Ils se saluaient sans animosité, car Bristow, bon joueur, admirait toujours les voyous assez habiles pour échapper à la loi et à ses représentants, quitte à redoubler d'efforts pour mettre la main sur eux.

Comme Bristow avançait, il souhaitait de plus en plus se trouver en plein mois de décembre, bien froid et glacé. Comme beaucoup d'hommes de son âge, il détestait la chaleur... ou plutôt ne la concevait que sur les bords de son étang préféré, dans l'eau jusqu'à mi-cuisses, pêchant des poissons « comme ça », à l'ombre de frais ombrages, une bouteille de bière bien fraîche à portée de la main. Pour l'instant, rien de tout cela n'apparaissait à l'horizon. Et Bristow maudissait pêle-mêle le mois d'août, son métier, Mile End Road... et surtout la comtesse douairière de Kenton.

La comtesse de Kenton s'était fait voler une broche d'émeraudes, qui valait près de 2 000 livres, il y avait de cela trois jours... A 11 heures du soir, elle ameutait Scotland Yard. Le téléphone semblait avoir été inventé pour elle et, si l'on exceptait les cinq ou six heures de repos que la redoutable vieille dame consentait à prendre chaque nuit, elle avait appelé Bristow à intervalles réguliers, toutes les heures, inexorablement.

Le vol avait été des plus simples, mais assez audacieux. La douairière, ayant une fille à marier, donnait une soirée. La broche d'émeraudes étincelait au milieu d'un flot de tissu crème dissimulant tant bien que mal les formes généreuses de lady Kenton, lorsque les lumières s'étaient éteintes. Trente secondes, pas plus. Le temps d'arracher la broche à sa propriétaire. Puis les lumières s'étaient rallumées. La douairière avait cessé de crier au secours pour s'évanouir. Dans le tumulte qui suivit, personne ne remarqua quoi que ce soit. Malheureusement, lady Kenton n'était pas femme à s'évanouir longuement. Revenue à elle, elle avait aussitôt sommé la police de venir prendre l'affaire en mains.

Bristow avait trouvé une femme de chambre inconsciente gisant à côté du commutateur électrique, et une échelle, appuyée à la façade arrière de la maison, et descendant jusqu'à la rue. L'homme venait donc de l'extérieur. C'était un point. Il était prêt à tout. C'en était un second. Et d'autre part, comme aucun des invités interrogés ne reconnut avoir rallumé la lumière, le voleur l'avait donc fait lui-même, ce qui prouvait qu'il était aussi sûr de lui qu'audacieux. Troisième point.

Le détective aimait l'audace. Personne n'avait été blessé. L'aventure n'était donc pas faite pour lui déplaire. Enfin, trois jours seulement lui avaient suffi pour détester cordialement la comtesse douairière. Lorsque Léonard Schmidt, prêteur sur gages bien connu dans tout Limehouse, lui téléphona que la broche était entre ses mains, il se trouva partagé entre deux sentiments contradictoires : le policier en lui fut enchanté de la nouvelle, mais l'homme fut désolé à la pensée que cette vieille sorcière de comtesse allait récupérer son bijou.

Il avait atteint la petite boutique mal éclairée de Schmidt et y entra courageusement, sans se laisser arrêter par l'étrange odeur qui s'échappait du fouillis indistinct d'objets accumulés devant ses yeux : vêtements, robes, manteaux, vestes, corsets même, et chaussures... Puis, moins gênants, des candélabres, des pendules, des assiettes...

Schmidt l'attendait et se précipita vers lui. Ses vieilles mains sales se dressèrent vers le ciel :

— Mr. Bristow ! Je suis désolé : pourquoi n'êtes-vous pas entré par ma porte privée ? Venez, passez par ici... Attention, il y a trois marches...

L'inspecteur suivit Leonard dans une obscure arrière-boutique, aussi sale et aussi odorante que la boutique elle-même. Comme chaque fois qu'il venait voir le vieux brocanteur, il s'émerveillait à la pensée qu'un homme aussi riche puisse vivre dans une pareille crasse. Mais après tout, cela ne le regardait en rien. Schmidt était un informateur précieux, et valait bien la peine qu'on se dérangeât pour lui.

Bristow trouva un siège, le débarrassa non sans peine, et s'y installa. Tout ce que les habitants de Limehouse pouvaient mettre en gage se trouvait étalé autour de lui...

— Alors, Léonard ? Vous avez la broche Kenton, paraît-il ?

Léonard acquiesça. A travers la crasse de son visage, ses yeux bruns brillèrent sous leurs lourdes paupières. Il se détourna et alla ouvrir un coffre-fort placé dans un coin de la pièce.

— Eh oui ! je l'ai. Oh ! ajouta-t-il vivement, j'ai été obligé de donner vingt beaux billets d'une livre pour que le type veuille bien la laisser. Je lui ai raconté que c'était tout ce que j'avais dans mon coffre pour l'instant, et qu'il revienne. Il me l'a promis... Dans une heure, m'a-t-il dit. C'est-à-dire dans cinq minutes maintenant... Tenez, voilà la broche.

Bristow saisit le bijou et le compara à une photographie qu'il sortit de sa poche. Enorme, étincelant de feux verts, c'était bien lui !

Il le glissa dans sa poche, et regarda le vieux grigou en hochant la tête.

— C'est la broche, en effet. Maintenant, passons au type. Vous le connaissez ?

— Jamais vu de ma vie, Inspecteur.

— Vous pouvez me le décrire ?

— Pas très bien... il ne fait pas tellement clair dans ma boutique, vous savez. Il est grand... la peau brune... L'air méchant, pas du tout commode, vous savez. Et puis, il a un imperméable (un imperméable, aujourd'hui, cela m'a paru suspect, vous pensez bien !). Le col relevé jusqu'aux yeux. Je me suis méfié...

— Pourquoi n'avez-vous pas demandé immédiatement deux agents ?

Sous sa jaquette verdie par les ans, les épaules de Schmidt frissonnèrent éloquemment :

— Eh bien, vous savez ce que c'est... je suis

vieux, inspecteur. Il avait l'air dangereux. Je me suis dit : avant tout, il faut lui prendre la broche. Et je vous ai téléphoné.

A l'ombre de ses gros sourcils, Bristow dévisagea le vieux bonhomme. Les yeux bruns avaient une expression de crainte et de bonne volonté tout à fait convaincante. Mais Bristow aurait donné cher pour connaître la conversation exacte qui avait bien pu se dérouler entre son étrange client et lui : le vieux aimait beaucoup les bijoux et pas du tout la police... Il en savait probablement plus qu'il ne le disait.

— Vous avez bien fait, approuva cependant l'inspecteur. Comment était sa voix ?

— Une vilaine voix, dure, rauque. Il parlait du coin de la bouche...

L'esprit de Bristow travailla rapidement en silence : c'est un vieux cheval de retour, certainement. Mais pas un type de Londres, autrement Schmidt le connaîtrait. Un type des Midlands, peut-être. Il a du cran, mais il est fauché, sans quoi il n'aurait pas laissé le bijou pour 20 livres. Il ne reviendra pas, évidemment !

A voix haute, il reprit :

— Vous avez un reçu ?

— Un moment, inspecteur...

Le vieux prêteur disparut vers la boutique. Bristow l'entendit ouvrir un tiroir, marmonnant toujours indistinctement. Puis il redescendit les trois marches.

— Voilà le reçu. Drôle de nom, vous savez...

Pour la première fois, Bristow vit la signature qu'il allait si souvent maudire ! Cette fois-là, il remarqua seulement qu'elle était composée de lettres d'imprimerie gauchement assemblées... Ou le type était un illettré, ou il était au contraire très habile.

— L. Baron... lut-il d'une voix distraite. Qu'est-ce que vous trouvez de curieux là-dedans, vieux sac à malices ?

— Eh bien ! commença Léonard... Une seconde ! On vient d'entrer dans la boutique.

Il disparut à nouveau. Bristow attendait, impatient. Soudain il dressa l'oreille. Répondant aux chuchotements de Schmidt, on entendait une autre voix : rauque et désagréable, aux accents violents. Schmidt discutait, son interlocuteur se fâchait. Soudain retentirent des pas précipités, puis un ordre :

— Restez où vous êtes, Schmidt !

Un pressentiment envahit l'inspecteur. C'était absurde, évidemment, mais pourquoi, après tout, le voleur ne serait-il pas revenu ? Les dieux étaient parfois généreux... et les hommes souvent bien fous !

Essayant de passer inaperçu aux yeux de l'homme qu'il entendait discuter dans la boutique, il monta lentement les trois marches.

Il ne s'était pas trompé : c'était bien celui que Léonard venait de décrire. Grand, une casquette de tweed enfoncée jusqu'aux yeux, le col de son imperméable remonté jusqu'au bout de son nez, le voleur de la broche Kenton regardait fixement Schmidt, effondré derrière son comptoir.

— Je vous assure, murmurait le receleur d'une voix terrifiée...

— Ferme-la ! ordonna durement l'homme.

Puis soudain, exactement sur le même ton, il ajouta :

— Bristow, sortez de votre coin et venez un peu par ici.

Un direct à l'estomac aurait moins abasourdi l'inspecteur que cette stupéfiante injonction... Il lui sembla perdre complètement la tête. Il sentait ses jambes enrobées dans un filet invisible, mais teriblement solide : il ne pouvait plus bouger.

On n'entendait plus dans la boutique que la respiration haletante du vieux brocanteur et le tic-tac d'une bonne douzaine de pendules éparpillées dans tous les coins.

Brusquement l'homme à la casquette s'adressa à Schmidt :

— Vieux serpent, double traître, tu crois en Dieu ?

L'autre eut un hoquet terrorisé. Bristow sentit un froid l'envahir et les muscles de son estomac se nouer violemment.

— Parce que, si Bristow ne veut pas venir par ici, tu vas partir pour un long voyage...

Bristow fit un effort terrible et avança d'un pas. Il s'aperçut alors que l'homme pointait un long revolver brillant et noir vers lui.

— Pose cette arme, dit Bristow d'une voix ferme, mais sans le moindre espoir d'être obéi.

L'homme leva la main. Les yeux de Bristow clignèrent imperceptiblement, mais il ne broncha pas. Il s'était toujours demandé à qui s'adresserait sa dernière pensée... Mais tout se passa si rapidement qu'il n'eut pas le temps de penser à quoi, ou à qui que ce soit. Une odeur douce et écœurante envahit la pièce : de l'éther, se dit Bristow. Il entendit un rire rauque et méchant, et vit le vieux Schmidt glisser lentement à terre.

Puis il vacilla lui aussi, pour s'écrouler de tout son poids sur le sol.

Alors l'homme se pencha vers lui. Ses mains agiles parcoururent le corps inerte, et trouvèrent aussitôt la broche d'émeraudes. Puis, épaules voûtées, visage enfoui dans le col relevé de son imperméable, il se glissa furtivement hors de la boutique.

Quelques instants plus tard, John Mannering riait tout seul, la main serrée autour de la broche de la comtesse douairière...

Comme le sergent Tring l'expliqua moins d'une heure après à Bristow, sans l'arrivée d'une femme du quartier, venue pour mettre en gage sa paire de chaussures du dimanche, l'inspecteur et Schmidt seraient restés longtemps inconscients, étendus sur le plancher de la petite boutique. Mais la femme, affolée, s'était enfuie en hurlant, et en ameutant toute la rue, pour tomber finalement dans les bras compréhensifs de l'agent du coin. Celui-ci se précipita sur les lieux, reconnut l'inspecteur... et rarement homme fut ranimé avec autant de célérité et de dévouement. L'agent, il faut bien l'avouer, pensait plus à son avancement qu'à la santé de son supérieur !

Le premier mot de ce dernier étonna fort son entourage :

— Sacré Baron ! Voilà un nom que je ne suis pas près d'oublier. Vous avez trouvé quelque chose, Poids-Lourd ?

Personne, à Scotland Yard, si ce n'est les officiels vraiment très officiels, n'appelait le sergent Jacob Tring par son vrai nom. Il faut dire qu'il était lent, mais solide et efficace. Il avait aussi une caractéristique qui bien souvent mettait ses chefs à la limite de la crise de nerfs : plus les événements se déréglaient, plus la situation était compromise, plus on voyait Poids-Lourd sourire, heureux seulement quand tout allait très mal, triste et abattu quand les affaires se dénouaient vite et bien. Cette fois-ci, il avait la mine réjouie des mauvaises nouvelles.

— Absolument rien. Schmidt est parti dans les pommes en même temps que vous. Sans cette vieille femme, vous auriez pu rester là jusqu'à la nuit, d'après le docteur.

Et il ajouta avec un manque d'à-propos surprenant chez lui :

— A votre place, je ne fumerais pas maintenant.

— A votre place, je me mêlerais de ce qui me regarde, répondit aimablement Bristow en allumant sa cigarette. Ou plutôt je me rendrais un peu utile. Faites donc passer immédiatement un appel. Qu'on recherche un certain L. Baron. Et puis envoyez donc le reçu qu'il avait laissé à Schmidt au service des empreintes...

Poids-Lourd :

— Il n'y a pas de reçu. Il l'a pris.

Bristow se contint difficilement :

— Un de ces jours !...

Puis il éclata soudain de rire. C'était une réaction plutôt inattendue, mais Poids-Lourd connaissait son chef depuis trop longtemps pour s'étonner. Il attendit patiemment que cet accès de gaieté se terminât, puis il reprit :

— Le vieux nous a dit que vous aviez mis la broche dans votre poche, chef. Nous l'avons cherchée. Elle n'y était plus. Nous n'avons trouvé aucune empreinte non plus.

— La prochaine fois que vous aurez envie de fouiller mes poches, vous attendrez que je sois réveillé, maugréa Bristow. J'y pense, Sa Seigneurie a-t-elle téléphoné ce matin ?

— Trois fois, répondit allégrement Poids-Lourd.

Si l'audace et l'effronterie du coup de main avaient arraché un éclat de rire à Bristow, toujours beau joueur, la perspective de se trouver face à face avec la douairière et de lui apprendre qu'il avait retrouvé la broche, pour la reperdre aussitôt, le refroidit subitement.

— Qu'est-ce que vous attendez, planté là ?... Allez vite faire passer cet appel, bon Dieu !

Quand Bristow affronta la masse imposante du Superintendant Lynch, il vit, à l'air ironique et amusé de son supérieur, qu'il était lui aussi fort sensible à l'inattendu de l'événement.

— Vous vous êtes fait avoir, dirait-on ! Mais je me demande pourquoi cet homme a monté toute cette comédie !

— Si seulement je le savais, soupira l'inspecteur.

— Vous ne l'aviez jamais vu ?

— Oh ! j'en rencontre une douzaine comme cela chaque jour dans l'East End ! Les cheveux et les yeux étaient soigneusement dissimulés... Je n'ai rien vu. Il y a sa voix, bien sûr ! Une voix rauque et désagréable. Je la reconnaîtrais, si je l'entendais à nouveau. Mais j'ai l'impression qu'il déguise sa voix aussi facilement que son écriture !

— Evidemment, tout cela se présente plutôt mal ! Comment s'appelle-t-il, votre type ?

— Baron. L. Baron.

Au froncement de sourcils de Lynch, Bristow sentit qu'il venait de dire quelque chose d'important.

— Ça c'est curieux. Vous ne trouvez pas ?

— Ma foi non !

Lynch se leva :

— Vous n'êtes pas trop fatigué pour venir faire un petit tour à Bow Street, Bill ?

— Pas fatigué du tout ! Si vous voulez la vérité, c'est mon amour-propre qui en a pris un coup. Et puis... il y a la douairière...

Lynch fit une grimace compréhensive, et quelques minutes plus tard, ils roulaient tous deux vers Bow Street. La pipe aux dents, Lynch expliqua paisiblement :

— C'est bizarre, Bill. Vraiment bizarre. Ce matin, nous avons mis en boîte Charlie Dray. Il essayait de passer quelques-unes des émeraudes Kia. Vous vous souvenez du bracelet Kia ?

— Pas très bien, avoua Bristow.

— Eh bien, il avait été subtilisé très adroitement à sa propriétaire actuelle, Mrs. Chunnley, au cours d'un grand bal chez lord Portland. Les lumières se sont éteintes, Mrs. Chunnley a senti le bracelet se détacher de son poignet, et les lumières sont revenues...

— ... Mais le bracelet avait disparu, acheva pensivement Bristow. Voilà qui ressemble beaucoup à l'histoire de la comtesse.

— On ne peut rien vous cacher, Bill ! Oui, ça y ressemble plutôt. Vous vous demandez ce que vient faire Charlie Dray là-dedans ? Il m'a dit quelque chose ce matin. Quelque chose qui m'a fait penser à votre Baron. Et nous allons le lui faire répéter.

Charlie Dray avait été un des forceurs de coffres-forts les plus fameux de son époque, et travaillait encore fort bien lorsqu'une femme jalouse décida de l'enlever à une heureuse rivale, et pour cela, fournit à la police, qui n'attendait que cette occasion, les renseignements nécessaires pour coffrer purement et simplement le malheureux Charlie. Après cinq ans de prison, il avait mené une vie exemplaire, abandonnant à la fois sa brillante carrière et ses aventures sentimentales. En homme raisonnable, il se contentait de vendre des hot-dogs en hiver et des glaces en été... Et pourtant, ce matin même...

— Charlie, dit Lynch d'une voix suave, je serais désolé de te voir à nouveau en uniforme !

La bonne humeur de Charlie était légendaire. Il gloussa :

— Et moi donc !

— Alors, tu vas nous raconter ta petite histoire... mais en entier. Tu m'as bien compris ?

— Que je tombe raide mort si je vous dis autre chose que la vérité pure ! répondit Charlie solennellement. Voilà : il y a un mois environ, un olibrius est venu me trouver. Charlie, il m'a fait, il paraît que tu te débrouilles comme un chef avec les serrures ? Moi ? je lui ai dit. Autrefois, peut-être. Mais maintenant c'est bien fini. Je ne veux même plus qu'on m'en parle ! Ecoute, Charlie, qu'il m'a dit, je ne veux pas te faire dévier du droit chemin (ça c'est de lui, vous vous en doutez : je pourrais pas l'inventer : mon droit chemin !) — Entre parenthèses, il était plutôt culotté, le frère... vous allez voir pourquoi. Enfin, ce jour-là, il m'explique qu'il a acheté un lot de vieux coffres et qu'ils sont fermés, et qu'il voudrait bien que je les lui ouvre. C'est du boulot régulier ? que je lui demande. — Tout à fait régulier, qu'il me dit. Et on s'en va voir les coffres. C'était dans Brick Street, et je peux vous conduire les yeux fermés chez le type qui les avait vendus, ces coffres.

— Tu feras aussi bien ! remarqua Lynch.

— Une fois qu'il me les a montrés, il me dit : maintenant que tu es sûr que c'est tout à fait régulier, je vous emmène, les coffres et toi, dans un bureau que j'ai et tu vas me les ouvrir. Là aussi, je peux vous y conduire. Alors, je m'attaque à ses coffres, et je les ouvre. Lui, il enlève les serrures. Je me dis : après tout, elles sont à lui, il peut bien faire ce qu'il veut. Ce qu'il voulait, c'était seulement apprendre à les ouvrir. Je lui ai montré comment on faisait. Faut dire qu'il avait de drôles de dispositions, le frère, d'ailleurs !

— Si je comprends bien, résuma Bristow à la fois étonné et inquiet, tu lui a appris à crocheter les serrures ?

— Mais puisque c'était ses serrures à lui ! rétorqua innocemment Charlie.

— Quelles sortes de serrures ? demanda Lynch, pratique.

— Ma foi, fit Charlie, connaisseur, il y en avait un beau petit assortiment, 8 je crois. 2 Yale, 2 Chubb, et d'autres combinaisons. Quand nous avons eu fini, on peut dire qu'il avait un joli coup de main. Il m'a donné 2 livres... et les petits cailloux que vous m'avez piqués ce matin, monsieur Lynch.

— Il te les a vraiment donnés ? demanda Bristow, sceptique.

Un éclair sournois passa dans les yeux de Charlie, mais il répondit d'un air vertueux :

— Comment voulez-vous que je les aie, s'il ne me les a pas donnés ? Vous savez bien que je suis rangé des voitures, Inspecteur.

— Charlie, fit Lynch sans colère, tu es un foutu menteur...

— Inspecteur, je vous assure que je ne les ai pas piqués, s'écria Charlie indigné.

Mais sa voix manquait de conviction, et Lynch haussa rêveusement les épaules.

— Ça va aller te chercher dans les sept ans, le bracelet Kia, tu le sais ! Mais si tu me donnes un coup de main, je ferai tout ce que je peux pour toi.

Et il se tourna vers Bristow qui avait allumé une cigarette, et fumait en réfléchissant :

— Vous voyez où je voulais en arriver, maintenant ?

— Si je comprends bien, le mystérieux client de Charlie s'appelait L. Baron.

— Félicitations ! Vous avez une logique toute française ! Allons, Charlie, viens avec nous...

Les deux policiers ne ramenèrent de leur inspection qu'une soif impérieuse. Quant au récit de Charlie, il se trouvait vérifié en tous points.

6

Parmi les nouvelles relations de Mannering, il
en était qu'il cultivait surtout pour les renseignements qu'il pouvait en obtenir.

Au mois de juin, par exemple, il avait entendu
parler des diamants Rosas. Trois ans auparavant,
on avait volé les diamants Rosas à leur propriétaire du moment, un richissime Américain, et depuis lors, personne n'en avait plus retrouvé la
trace.

Un jour, pendant qu'il vendait une bague
à son receleur habituel, les diamants Rosas re-
vinrent sur le tapis. La bague était petite, mais
très belle. Mannering l'avait subtilisée dans un tiroir lors d'une invitation à pêcher le saumon en
Ecosse, et jusqu'ici, sa propriétaire n'avait même
pas semblé s'apercevoir de sa disparition !

Le receleur eut un sifflement admiratif :

— Si ça continue, tu vas m'apporter les diamants Rosas un de ces jours !

De la voix rauque qu'il adoptait le plus souvent, John demanda :

— Les diamants Rosas, qu'est-ce que c'est que
ça ?

— Il ne les connaît même pas !

Le vieux filou prit une expression d'intense convoitise, et murmura entre ses dents :

— Je te parie que Septimus Lee en sait plus long que toi là-dessus, tiens !

Mannering fit mine de ne pas comprendre et parla d'autre chose. Mais il n'avait pas oublié les diamants Rosas, ni Mr Septimus Lee. Les diamants, même revendus illégalement, seraient une belle prise. Il se renseigna donc avec tact, et ce qu'il apprit lui donna une idée intéressante.

Par une accablante après-midi de ce mois d'août Mannering entrait dans les bureaux de la Severell Compagny, puissant consortium financier, et demandait à voir Septimus Lee. Il fut aussitôt introduit.

Petit et maigre, le nez crochu, les cheveux noirs et huileux, Lee n'en était pas moins habillé avec la plus stricte élégance. De belles mains soignées ponctuaient tous ses gestes, et Mannering se dit qu'il ne faudrait pas remonter très loin parmi ses ancêtres pour trouver un honorable marchand de tapis ambulant. Des yeux bruns et perçants photographièrent John, toujours impeccable, et visiblement préoccupé de ne pas compromettre le pli de son pantalon gris clair en s'asseyant.

Le plus nonchalamment du monde, avec un sourire à la fois distant et courtois. John attaqua :

— Vous vous demandez sans doute l'objet de ma visite ?

— Mon Dieu...

Lee leva la main droite d'un geste de prélat, faisant étinceler un magnifique diamant.

— Beaucoup de gens viennent me voir, Mr. Mannering, et pour des raisons bien différentes.

Il avait une voix onctueuse et un accent très particulier, appuyant sur les consonnes, traînant sur les voyelles, zézayant par instants.

— Mais en général, les jeunes gens de votre âge... surtout quand ils jouent beaucoup aux courses, viennent me demander un petit service...

Mannering interrompit son interlocuteur :

— Non, Mr. Lee, je n'ai pas besoin de vous emprunter de l'argent. Figurez-vous que ce sont des racontars qui m'amènent chez vous...

John laissait tomber ses mots d'un air détaché, mais chacun d'eux dissimulait un hameçon, et l'autre y mordit. Ses yeux scrutèrent plus attentivement le beau visage de son visiteur :

— Des racontars ? Drôles de choses que des racontars !...

— Vous vous doutez bien, poursuivit John, très digne, que d'habitude je ne prête pas la moindre attention à ce genre de bruits. Seulement, l'un d'entre eux présentait pour moi un intérêt particulier. Il concernait les diamants Rosas, Mr. Lee.

L'attaque était trop brutale pour que Lee puisse s'empêcher de tressaillir. Une lueur d'inquiétude traversa ses yeux rusés.

Tranquillement, Mannering enchaînait :

— Vous savez que les diamants Rosas ont été volés, il y a trois ans, à ce pauvre Randenberg, qui ne s'en console pas, d'ailleurs... Or, j'ai entendu dire qu'ils se trouvaient maintenant à Londres.

— Pas possible ! se contenta de murmurer Lee, d'un air surpris.

— Vous savez peut-être aussi qu'ils sont magnifiques, ces diamants. La plus belle pierre rose qui soit au monde, au milieu d'un dégradé impeccable... Or, je connais un collectionneur qui les paierait très cher. Si vous le voulez bien, nous allons faire une supposition : à combien estimeriez-vous les diamants Rosas s'ils étaient sur le marché officiel ?

Lee se frotta le bout du nez, réfléchissant, le visage grave :

— Eh bien, je crois qu'ils vaudraient au moins 50 000 livres, Mr Mannering.

Le sourire de John était de plus en plus candide :

— Transformons notre hypothèse, maintenant. Supposons que les diamants soient à Londres, et en vente, mais clandestinement. Quel serait alors votre chiffre ?

Septimus Lee considéra les yeux rieurs de John. Cette fois il était sur ses gardes.

— Eh bien, disons... 30 000 livres.

— C'est trop, déclara John d'un air impartial. Si je devais estimer les diamants Rosas, — vous m'objecterez que je ne suis pas expert en la matière, et vous aurez raison — je n'offrirais pas plus de 25 000 livres.

Lee avait presque fermé les yeux et l'ombre d'un sourire relevait ses lèvres minces :

— 30 000, parce que je compte la commission de l'intermédiaire !

— Voyons, fit John très bon enfant, j'ai supposé avant tout que deux personnes seulement seraient au courant de la transaction : le vendeur et l'acheteur...

Un silence tomba, puis Septimus Lee ne put retenir une exclamation :

— Ah ? Mr Mannering, que savez-vous au juste ?

— Ceci, et pas davantage, répondit John, soudain sérieux. C'est vous qui avez les diamants Rosas, Mr. Lee. Et personne ne sait qu'ils sont en Angleterre, si j'excepte un de vos collègues.

— Et vous, Mr. Mannering.

Mannering approuva. Ses yeux souriaient à nouveau. Il avait joué, et gagné.

— Moi aussi, évidemment. Mais voyez-vous, Mr. Lee, je n'en étais pas plus sûr que cela. C'est vous qui venez de me le confirmer. Dois-je jouer cartes sur table ?

— Ce serait une bonne idée...

— Il y a longtemps que j'attendais l'occasion d'acheter les diamants Rosas à Randenberg. J'ai été très déçu lorsqu'ils ont disparu. Un de mes amis américains m'a murmuré un jour qu'il vous arrivait parfois d'avoir en votre possession des bijoux qui avaient quitté l'Amérique sans tambour ni trompette. J'ai réfléchi, et tiré mes déductions...

— Parce que, si je comprends bien, ils vous intéressent toujours ?

— Exactement.

— Ma foi, Mr. Mannering, vous avez de bien curieux amis, mais nous n'allons pas discuter cela. Je voudrais pourtant vous poser une question : parmi ces amis, il n'y a pas de policiers ?

John resta impassible :

— Je suis avant tout un collectionneur de pierres précieuses, Mr. Lee.

— Alors je crois que nous allons nous mettre d'accord. Ces 25 000 livres, ce serait en espèces, naturellement ?

— Ce serait un chèque, naturellement, répondit John. J'ai la plus grande confiance en vous,

Mr. Lee, mais je ne vais pas me promener avec 25 000 livres en espèces dans ma poche. Après tout, ces racontars... d'autres ont pu les entendre aussi ? C'est mon chèque contre les Rosas.

Lee avait trop l'habitude de ce genre de marché pour ne pas se décider sur-le-champ. Il acquiesça donc.

— D'accord. Demain midi, dans ce bureau, vous aurez les Rosas.

— Demain matin, c'est parfait. Seulement... — John fit mine de réfléchir une seconde — je préférerais 10 heures, si vous voulez bien. Je quitte Londres à 11 heures précises, avec des amis. A moins que vous ne préfériez attendre la semaine prochaine ?

Lee n'était pas homme à laisser traîner une affaire de cette importance. Il fit un geste de dénégation :

— Pas du tout. A 10 heures, demain matin.

Et les deux hommes se quittèrent, tous deux enchantés de leur entrevue, mais pour des raisons bien différentes.

Aussi intelligent que fût Septimus Lee, il n'avait pas supposé qu'il pourrait être suivi par un inconnu, sans même s'en apercevoir. Mannering n'avait guère confiance dans les déguisements, mais il ne dédaignait pas d'employer un moyen simple et efficace : la fausse barbe. Sa seule objection contre cet élémentaire camouflage était la chaleur accablante de la journée. Transformé par une superbe barbe rousse, ayant troqué sa veste de fil à fil gris contre un veston à grands carreaux, il suivit donc Septimus Lee, qui se rendit de son bureau dans un service de location de coffres,

Southampton Road. Lee roulait dans une grosse Daimler facile à repérer. Mannering avait, lui, abandonné son Aston-Martin pour une Humber de location des plus banales. Pas un instant Lee ne soupçonna qu'il était suivi. Quittant Southampton Road, il se rendit simplement chez lui. Il possédait un petit hôtel particulier, entouré d'un assez grand jardin.

Mannering rentra alors en ville, pensif. Il avait toutes les raisons de croire que Septimus Lee était allé retirer les diamants Rosas de son coffre pour les emmener chez lui. C'est d'ailleurs à cet effet que John avait pris soin de fixer l'heure du rendez-vous le plus tôt possible dans la matinée du lendemain.

Pour la première fois, l'affaire Fauntley exceptée, John allait cambrioler une maison. Et cette fois il ne savait pas où se trouvait la clef du coffre, ni le coffre lui-même, pas plus qu'il n'en connaissait la combinaison. Par contre, les serrures n'avaient plus de secrets pour lui maintenant. Il était également rassuré par le choix de sa future victime : Lee avait acheté des pierres volées, et ne pourrait pas appeler la police s'il pinçait jamais le Baron en plein travail.

La seule chose qui tracassait Mannering dans cette affaire était son apparente facilité. Il y avait certainement un piège quelque part, que seul connaissait Septimus Lee...

Cinq heures plus tard, devant le petit hôtel de Septimus Lee, Mannering se sentit un peu rassuré : l'inspection des portes et des fenêtres lui avait appris que le financier ne prenait aucun risque inutile, et que son installation était parfaitement au point, et ses diamants bien protégés. Impossible d'entrer sans effraction : il décida de s'attaquer à la porte de la cuisine. La façon dont il maniait son rossignol aurait fait l'admiration de Charlie Dray, et la serrure ne lui résista pas longtemps. Restaient deux gros verrous certainement plus coriaces. Mannering prit un petit ciseau, et fit sauter un morceau du bois de la porte. En dix minutes, il avait dénudé les deux verrous. Il rangea son ciseau et choisit une paire de fines tenailles. Mais il resta immobile, les faisant danser dans sa main : un pressentiment lui conseillait de ne pas s'en servir. C'était absurde, et absolument immotivé, mais il les replongea dans sa poche sans pouvoir se décider à les utiliser. Puis il prit sa petite lampe et se pencha sur le verrou supérieur, qui avait un air des plus innocents. Il haussa les épaules. Le rayon de sa lampe descendit, éclairant le verrou inférieur. John faillit pousser un petit sifflement. Un mince fil électrique partait du verrou, commandant un signal d'alarme. Il ne s'attendait pas à cela, et resta décontenancé quelques secondes. Puis la solution lui apparut : il lui suffirait de scier les verrous pour interrompre le contact. C'était un contretemps dont il se serait bien passé : des verrous en acier de cette épaisseur allaient lui résister un bon moment. Mais il ne voyait pas d'autre moyen de s'en sortir. Dans sa petite trousse à outils, il prit une scie très mince, mais parfaitement affûtée et huilée, et se mit au travail. Des autobus passaient dans la rue voisine, couvrant providentiellement par intervalles l'imperceptible bruit de la scie. Les minutes s'écoulèrent, interminables. Les doigts de John commençaient à lui faire mal, mais le verrou supérieur ne tenait presque plus. Le fil se décrocha avec lui. Puis ce fut au tour du verrou inférieur. Il saisit alors ses tenailles, et poussa le verrou, lentement, très lentement. Le verrou glissa sans bruit. Aucune sonnerie ne retentit. Mannering poussa un grand soupir de soulagement. Puis il ouvrit la porte... Elle grinçait un peu, mais la maison obscure restait silencieuse. Il poussa la porte... et crut que son cœur allait s'arrêter de battre.

Dans l'obscurité, quelque chose brillait d'un éclat vert et inquiétant. Aucun son, mais deux petits points de feu, terrifiants : un chien. Et un chien bien dressé !

Il frissonna, et son cœur repartit. Puis il enfonça sa main dans sa poche et prit son pistolet — le pistolet qui avait si proprement anesthésié l'inspecteur. Il était chargé de gaz plus puissants cette fois. Mais pour que l'éther agisse avant que le chien ne puisse pousser le moindre aboiement, il allait falloir s'approcher très près de l'animal, qui lui sauterait à la gorge.

— Tant pis, se dit John en avançant et en étendant le bras.

Les deux points étincelants continuaient de briller... mais un sourd grognement à peine perceptible l'avertit que le molosse allait sauter. Puis les yeux verts se rapprochèrent avec une rapidité effrayante... Mannering appuya sur la gâchette. Il entendit le léger sifflement du gaz, et presque en même temps le hoquet surpris du chien, très près de lui. Pendant un quart de seconde, il eut peur d'avoir manqué son coup, mais le chien s'écroula avec un bruit sourd. La nuque brûlante de John devint subitement glacée, et sa respiration reprit un rythme plus normal. Il frissonna à plusieurs reprises, et dût serrer les dents pour s'arrêter de trembler. Soudain il eut envie de rire : il s'en était sorti !

Soigneusement, dans le plus grand silence, il referma la porte derrière lui et alla tirer les rideaux de l'unique fenêtre. Puis il décrocha le commutateur. La lumière envahit la pièce...

Son premier coup d'œil fut pour le chien. En voyant que c'était un grand danois, Mannering comprit pourquoi il n'avait pas aboyé, car il savait que ce sont des bêtes faciles à dresser. On avait appris à celle-ci à attaquer sans bruit, et à terrasser son adversaire. Mannering ne put s'empêcher de féliciter mentalement Septimus Lee : c'était un homme d'une rare prévoyance. Possesseur de bijoux pour la plupart volés, il s'attendait à être quelquefois cambriolé, mais n'avait aucune envie d'attirer l'attention de la police. C'était un adversaire de taille que Mannering rencontrait là, et non plus un mouton imbécile comme Fauntley.

Il s'agissait maintenant de trouver le coffre. Selon toute vraisemblance, Septimus devait l'avoir installé dans sa propre chambre. Eteignant les lumières de la pièce qu'il quittait, Mannering suivit le mince faisceau de sa lampe électrique et monta un grand escalier. Au premier étage, une belle porte de chêne frappa son regard : c'était certainement la bonne. Mannering abaissa la poignée : elle n'était pas fermée à clef. Il revêtit alors son masque : une étoffe souple et collante avec deux fentes suffisantes pour lui permettre de voir, mais trop étroites pour révéler quoi que ce soit de son regard. Puis il se glissa dans la chambre et se dirigea vers le lit.

A la lueur de sa lampe, il aperçut Lee endormi. Mannering appuya à nouveau sur la gâchette de son pistolet, laissant échapper le gaz petit à petit, cette fois. Apparemment, il ne se passa rien ; Lee après un soupir suffoqué, se mit à ronfler. Les yeux de John étincelaient : il était bien parti. La partie la plus dangereuse de son travail était faite. Restait la plus difficile : pourvu qu'il puisse trouver le coffre et sa clef ! Avec une extraordinaire sûreté de gestes, il fouilla les vêtements de Lee, étalés sur un fauteuil. Rien. Puis ses yeux tombèrent sur une petite boîte de cuir richement travaillée. Il l'ouvrit : elle contenait un trousseau de petites clefs, trop nombreuses au gré de John qui se voyait obligé de les essayer l'une après l'autre. Au coffre maintenant ! Pendant qu'il soulevait en vain tous les tableaux qui ornaient la chambre, John se promit bien de mieux préparer son prochain coup et de savoir à l'avance où se trouvait le coffre-fort ! Il essaya de se mettre dans la peau du financier : s'il était Septimus Lee, où mettrait-il ses bijoux les plus précieux ? Tout près de lui, bien sûr. C'était donc autour du lit qu'il fallait chercher. En effet, le lit de Septimus avait un grand panneau de tête en bois sculpté. Un peu trop sculpté, se dit Mannering. Le reste du mobilier était sobre, et de bon goût. Ce panneau était affreux. Il comprit pourquoi en promenant des doigts légers le long des fioritures en relief. Soudain l'une d'elles trembla, et le panneau se mit à glisser, se fendant en deux. Mannering vit luire l'acier d'une porte de coffre, et sourit derrière son masque... Pas longtemps d'ailleurs :

au même instant, une sonnerie stridente, assourdissante, retentit dans le silence de la nuit. John resta quelques secondes ahuri, tous ses réflexes envolés... Soudain un bruit de porte claquée au-dessus de sa tête lui parvint malgré le vacarme de la sonnette d'alarme, et il retrouva tout son sang-froid. Il fallait avant tout fermer à clef la porte de la chambre. En deux temps trois mouvements ce fut fait. Par bonheur, il n'y avait que cette seule porte, et John se voyait tranquille pendant quelques secondes. Dans un éclair, il fut tenté de se précipiter et de retrouver sa liberté, abandonnant les diamants Rosas. Mais il se domina et revint au coffre. L'infernale sonnette s'était enfin tue. On frappa à la porte, et une voix inquiète appela :

— Mr. Lee... tout va bien, Mr. Lee ?

Le plus simple était de l'ignorer. Sans s'énerver, John essaya toutes les clefs du trousseau l'une après l'autre. Ses mains ne tremblaient pas et ses mouvements étaient rapides et sûrs. A la cinquième clef, la porte s'ouvrit. Il se trouva alors devant une autre petite porte, que commandait cette fois une combinaison. Les coups devenaient de plus en plus violents. Il lui fallait faire vite maintenant. Au hasard, il tourna le bouton, à droite, à gauche, à droite encore, entendant défiler les petits déclics, impatient, furieux de travailler ainsi. Mais soudain, sur un déclic plus net que les autres, la porte s'entrebâilla. Le coffre contenait plusieurs paquets de documents ou d'actions, et un grand écrin de maroquin rouge. D'un coup sec, John fit sauter la ravissante serrure ancienne : les diamants Rosas étincelèrent devant ses yeux éblouis. Ils étaient en effet presque roses, et magnifiques. Il s'arracha à cette contemplation : le danger n'avait pas disparu. L'homme qui frappait à la porte s'était tu... ce qui ne présageait rien de bon. John enfonça l'écrin dans sa poche et se dirigea vers la fenêtre. Bien que verrouillée, elle ne lui résista pas longtemps. Sous ses yeux s'étendait une charmante pelouse... quelque cinq mètres plus bas ! Un joli saut ! Heureusement, il aperçut un gros tuyau qui passait près de la fenêtre. Enjambant la croisée, il l'agrippa et commença à descendre, guettant le moindre bruit suspect. Celui-ci ne se fit pas attendre : on remua, juste sous ses pieds : il distingua une forme tapie dans l'obscurité. John n'était plus qu'à deux mètres du sol maintenant : l'homme allait se précipiter et l'attaquer avant qu'il ne touche terre. Il continua donc à descendre, puis s'arrêta, feignant de dégager son imperméable coincé dans le tuyau. Il ne s'était pas trompé : l'homme bondit. Mais John l'attendait, et d'un élan irrésistible, sauta sur lui. Terrassé par le poids de son adversaire, l'homme tomba lourdement sur le gazon. Mannering s'était laissé rouler de côté, et d'un coup violent à la tempe, immobilisa son adversaire. Il se leva d'un saut, et se mit à courir vers sa voiture, qu'il avait garée dans l'ombre de la rue, pensant que c'était bien la dernière fois qu'il entrait dans une maison sans savoir comment elle était gardée. La grosse Humber démarra, et Mannering poussa un grand soupir : sa tête bourdonnait, ses lèvres tremblaient. Il venait de vivre les cinq minutes les plus mouvementées de sa nouvelle existence, et se sentit fier de s'en être aussi bien sorti.

Mais un coup d'œil dans son rétroviseur le ramena à plus d'humilité :

— Imbécile, crétin, idiot ! murmura-t-il. Le métier n'entre pas vite, mon pauvre garçon !

Il avait tout simplement oublié d'enlever son masque !

Haussant les épaules, il alluma une cigarette, et rentra chez lui, la poche de son imperméable déformée par le grand écrin de maroquin rouge.

7

A 10 heures moins 5, le lendemain matin, Septimus, affable et souriant, recevait John Mannering, tout aussi affable et souriant. John ne put s'empêcher d'admirer le sang-froid de son adversaire :

— Champion ! pensa-t-il en s'installant dans le même gros fauteuil que la veille. N'empêche, je donnerais bien le plus gros des diamants Rosas pour savoir ce qu'il a dans la tête !

Puis, avec sa bonne humeur habituelle, il attaqua :

— Eh bien, Mr. Lee, notre petite discussion d'hier n'était-elle que pure théorie, ou bien avait-elle des bases plus...

Lee leva doucement sa main soignée :

— Nous nous sommes très bien compris, cher monsieur. Mais un contretemps imprévu m'empêche de conclure ce marché. Un contretemps des plus regrettables, d'ailleurs. J'ai eu des... visiteurs cette nuit, Mr. Mannering !

— Des visiteurs ? Je vois ! On vous a fait une meilleure offre que la mienne !

— Hélas, non ! on ne m'a fait aucune offre : j'ai tout simplement été cambriolé !

— Cambriolé ?

La note de scepticisme qui perçait dans la voix de John était un chef-d'œuvre.

— Eh oui. Cette nuit entre toutes les nuits, croyez-vous ! ajouta Septimus d'une voix douce.

Mannering fronça les sourcils d'un air peu aimable :

— Mr. Lee, vous me désappointez ! Vous me prenez pour un jobard, et votre petite ruse ne me plaît pas beaucoup ! Néanmoins, je vais me montrer beau joueur : je vous offre 30 000 livres des diamants.

— Mr. Mannering, il est inutile de poursuivre notre entretien. Je comprends votre attitude, mais je ne peux pas vous vendre les diamants Rosas : je n'ai pas la moindre idée de l'endroit où ils peuvent bien se trouver en ce moment, d'ailleurs !

Mannering le regarda gravement, l'air ébranlé :

— Ma foi... je vais finir par vous croire. Mais sapristi, Lee, personne en Angleterre ne savait que vous aviez les diamants... Sinon vous, moi... et votre collègue. Cela paraît invraisemblable.

— C'est bien mon avis...

Sous le velours de la voix perçait une note plus rude.

— Mais, comme vous le disiez hier, les racontars se répandent vite. D'autres que vous ont pu entendre parler des diamants... Et maintenant, si vous voulez bien m'excuser...

Jouant l'étonnement consterné, Mannering reprit son chapeau et quitta Lee, toujours souriant derrière son grand bureau.

Une fois dans la rue, John se mit à soliloquer :

— Je me demande bien ce que cette canaille sait ou ne sait pas. Il y a quelque chose qui me tracasse chez ce vieux corbeau. D'abord, il était différent, aujourd'hui. Différent, mais comment ? Il avait bien la même vilaine figure... Evidemment, il faisait un gros effort pour se maîtriser, mais j'ai quand même l'impression qu'il y avait quelque chose d'autre.

Dans les trois minutes qui suivirent, deux crieurs de journaux lui fournirent la réponse à cette question :

— Dernières n'velles ! cria le premier d'une voix éraillée et vulgaire.

— Dernières nouvelles ! criait le second d'une voix bien timbrée et sympathique.

Mannering les regarda : le premier était vieux, sale, presque en haillons. L'autre était jeune, correctement mis, avec un visage intelligent et ouvert.

— Ils sont aussi différents à voir qu'à entendre ! murmura John. Bon Dieu ! j'y suis !

Et il acheta un *Daily Mail* au plus jeune des deux vendeurs, lui abandonnant joyeusement sa monnaie.

Il avait trouvé en effet : Septimus Lee n'avait pas la même voix aujourd'hui qu'hier. Voilà la différence qui l'avait préoccupé ! L'accent très prononcé, appuyant sur les consonnes et faisant traîner les voyelles avait disparu. Ce matin, il avait une voix distinguée et très anglaise.

— Tiens, tiens, alors il change sa voix quand cela lui chante. Et ce matin, malgré son sang-froid, il a oublié de reprendre son accent d'Europe Centrale ! Comme c'est curieux !

Au bout d'une demi-heure de réflexion, rentré chez lui, il trouvait toujours cela fort curieux. Il admirait les diamants Rosas, et se demandait comment et où il les écoulerait. Jusqu'ici, il n'avait eu à vendre que des bijoux de petite valeur en comparaison des merveilleux diamants rosés. Il faudrait bien un jour qu'il trouve un receleur en qui il puisse avoir toute confiance. Il pensa à Flick Leverson qui lui avait acheté la broche Kenton avant de se faire agrafer par le Vieux Bill.

— Je n'achète jamais rien de plus important, lui avait affirmé le receleur. Si vous faites un jour un très gros coup, allez chez Schmidt.

— Je croyais que Schmidt servait d'indicateur à la police, avait-il objecté.

— C'est un salaud, d'accord. Mais seulement pour le petit gibier. Il le colle dans les bras des flics, et pendant ce temps il peut traiter avec les gros caïds. Il est très fort, et vous pouvez m'en croire : si vous lui apportez quelque chose de vraiment important, il sera régulier.

Mannering avait mis Schmidt à l'épreuve avec la petite comédie de la broche Kenton. Bernant l'inspecteur Bristow, Schmidt n'avait pas trahi l'homme à la casquette de tweed. Au contraire, il avait semblé ravi de jouer un bon tour à la police et avait suivi scrupuleusement les instructions de John. Aussi pensa-t-il à lui pour écouler les diamants Rosas. Il n'en tirerait peut-être pas plus de 10 000 livres, mais il avait un urgent besoin d'argent. Son — ou plutôt « ses » comptes en banque — étaient au plus bas. Schmidt lui donnerait des espèces, et tout de suite.

— Ce sera donc Schmidt, murmura Mannering.

Et il glissa les pierres entre deux chemises de soie dans la commode de sa chambre, à Brook Street. En effet, John Mannering, jeune homme respectable, vivait officiellement au Claridge, mais

John Mannering, jeune homme séduisant, avait une garçonnière discrète, ce qui n'étonnait personne. On aurait été plus surpris si l'on avait appris que cette garçonnière ne recevait jamais de visites féminines, mais servait au Baron qui pouvait y ranger son butin, se changer, et aller et venir à toutes les heures de la nuit sans se faire remarquer !

— Ce sera Schmidt, et ce soir même, chantonna-t-il sur un air de Mozart.

Soudain il s'arrêta sur un affreux couac... Et il se mit à réfléchir longuement...

A 8 heures moins 5, le même soir, un homme coiffé d'un feutre marron faisait les cent pas non loin de chez Léonard Schmidt. A 8 heures précises, le vieux prêteur sur gages quitta sa boutique, la cadenassa, et se dirigea vers le plus proche arrêt d'autobus. L'air fatigué, il se traînait péniblement, suivi de très loin par l'homme au feutre marron. Ils montèrent tous deux dans le même autobus. A Aldgate, sans que rien le fasse prévoir, Schmidt se précipita vers la sortie. Son suiveur eut pourtant le temps de descendre aussi, et l'extrême surprise de voir Schmidt entrer dans un endroit des plus inattendus : un hammam !

L'homme au feutre marron recommença à faire les cent pas, cette fois sur le trottoir opposé au hammam. Comme un agent semblait le regarder avec un peu trop d'attention, il lui sourit d'un air candide :

— Vous connaissez une femme qui arrive à l'heure, vous, monsieur l'agent ?

L'agent haussa les épaules d'un air fataliste et compatissant et s'éloigna...

Dix minutes plus tard, une grosse Daimler, conduite par un chauffeur en livrée, s'arrêtait devant le hammam. Cinq minutes après, Mr Septimus Lee se précipitait hors du hammam, et entrait dans la Daimler qui démarrait silencieusement.

L'homme au feutre marron se dirigea alors vers le plus proche autobus, murmurant entre ses dents, l'air abasourdi, mais enchanté :

— Pour un coup de chance, c'est un coup de chance, mon petit John ! Si jamais tu ne joues pas bien le jeu, ce sera vraiment de ta faute !

Car Septimus Lee et Léonard Schmidt ne faisaient qu'une seule et même personne !

Flick Leverson était un homme charmant et plein de philosophie. De tout temps il avait prévu sa possible mise à l'ombre ; une curieuse sympathie l'attirant vers cet étrange client à la casquette de tweed, au visage dissimulé par un mouchoir, il lui avait donné une liste fort complète des receleurs capables d'écouler sa dangereuse marchandise. Mannering se méfiait un peu de tout ce joli monde ! Schmidt trahissait sans vergogne les voleurs au petit pied, d'autres pouvaient fort bien l'imiter. Mais depuis sa providentielle découverte, il se voyait forcé d'agir. Il n'était pas assez sûr de son déguisement pour se frotter à Schmidt, c'est-à-dire à Septimus Lee. La pensée que Schmidt, en tant que receleur, devait attendre avec impatience qu'on lui apporte les diamants volés à Lee, ravissait John. Mais d'autre part, Lee, en tant que président de la Severell Company, était un homme au bras fort long et devait surveiller John Mannering. Il prit donc deux décisions : la première d'acheter un secrétaire ancien muni de multiples tiroirs, dont l'un possédait un fond secret suffisant pour dissimuler des bijoux. La seconde de s'adresser pour les vendre à un nommé Grayson qu'il éprouverait auparavant en lui proposant des bijoux moins importants.

Grayson était un petit homme blond et rose à l'aspect fragile, doté d'une surprenante voix de basse. Il possédait deux ou trois cargos qui naviguaient entre l'Angleterre et la Hollande, et lui permettaient de faire une contrebande active de marchandises volées. De plus, il adorait les pierres précieuses...

Leverson avait averti John :

— Il fera tout son possible pour vous rouler. C'est un salaud, mais un salaud régulier.

Ce curieux compliment décida Mannering, et trois jours après sa petite visite chez Septimus Lee, un type musclé, au teint basané, pénétrait dans les bureaux de Grayson et demandait à « voir le patron ». Etant données les multiples ramifications de son activité, Grayson recevait tous ceux qui se présentaient. Le malabar fut donc introduit aussitôt dans son bureau.

— Qu'est-ce que vous voulez ? mugit Grayson. Du travail ?

L'autre secoua lentement la tête. Ses yeux noisette avaient un regard maussade, et une moue hargneuse plissait ses lèvres épaisses. Il parlait sur un ton bourru, avec brusquerie et maladresse, et semblait souffrir d'un très net défaut de prononciation. Tel qu'il était, personne, Jimmy et Toby compris, n'aurait reconnu John Mannering.

— Non, grogna-t-il. Je viens de la part de Flick. Vous connaissez bien Flick ?

Les petits yeux de Grayson se plissèrent. Son

visage poupin devint sérieux. Il savait ce que signifiait la recommandation de Leverson. Il dévisagea attentivement son visiteur, essayant de le reconnaître.

— Je ne l'ai jamais vu, conclut-il. C'est un type du Nord, d'après son accent. Un visage large, une bouche épaisse. Cela ne va pas avec ses yeux, d'ailleurs.

Pendant un moment, il garda le silence, essayant d'énerver son visiteur. Mais le malabar semblait décidé à attendre éternellement, et Grayson céda :

— Qu'est-ce que vous avez à voir avec Flick ? demanda-t-il enfin.

— Il est... absent, pour deux ou trois ans.

L'ombre d'un sourire éclaira le visage basané, puis l'expression craintive reparut.

— Parlons net, Mr. Grayson. Flick m'a dit que vous pourriez m'acheter quelques petits objets. C'est vrai ?

— Ça va, montrez-moi ça.

— Vous êtes régulier, au moins ?

— Si je ne l'étais pas, Flick ne vous aurait pas dit de venir !

La réponse sembla satisfaire l'homme qui fouilla dans sa poche, et jeta sur le bureau de Grayson un petit sachet de nylon. Persuadé qu'il allait trouver là quelques bijoux de pacotille, Grayson l'ouvrit négligemment. Ses yeux s'écarquillèrent quand il aperçut une énorme perle, qui, quelques jours plus tôt, ornait la petite oreille de Lady Morrison... Puis un gros diamant monté sur platine. Enfin une bague de saphirs, dont la pierre principale était aussi grosse que l'ongle de son petit doigt. Malgré lui, il murmura abasourdi :

— Où avez-vous trouvé cela ?

L'homme au teint basané eut une expression inquiétante :

— Ça, c'est mon affaire. La vôtre, c'est d'acheter. Combien ?

D'un coup d'œil pénétrant, Grayson jaugea son vis-à-vis : les vêtements élimés, l'air peu rassuré, il avait certainement besoin d'argent. Il fit un calcul rapide, soucieux avant tout de ne pas proposer une trop grosse somme.

— 500 livres, cela vous va ?

L'homme ne daigna pas répondre, et le receleur insista :

— Eh bien, j'ai dit 500 livres !

— Mais comment donc ! murmura l'autre d'un ton ironique.

Il se leva et tendit la main vers le sachet.

— J'aime mieux en faire cadeau à une poupée que je connais. Je laisse tomber.

A cet instant, Grayson constata deux choses : d'abord, que l'homme portait des gants, fait curieux par cette chaleur. Ensuite, que le plus beau lot de pierres qu'il ait eu entre les mains depuis des années allait disparaître. Il se racla la gorge et agita ses doigts fluets dans un geste de conciliation :

— Une petite minute ! Vous savez que c'est dangereux de manier cette marchandise : je prends de gros risques ! Ce sera 800 livres, pas plus.

— Puisque je vous dis que je vais les offrir à ma petite blonde préférée ! ricana l'homme. 3 000 livres, ou rien.

— Vous êtes fou ! s'écria Grayson.

— Pas si fou que si je vous les laissais pour des haricots ! Vous savez très bien que Flick m'en donnerait 3 000, et sans discuter.

Grayson regarda les trois bijoux étincelant sur le buvard de son bureau. Puis il leva la tête et rencontra le regard pénétrant des yeux noisette. Il comprit alors qu'il avait fait une erreur : ce type-là ne serait pas commode à manœuvrer. Mais Grayson avait trop envie des bijoux. La grosse perle, en particulier, le fascinait. Il ne pouvait pas résister à son éclat tendre et lumineux.

— 2 500, pas davantage. Personne ne vous en donnera autant en ce moment !

L'homme parut réfléchir, puis enfonça ses mains gantées dans ses poches :

— D'accord ! Mais tout de suite, et en petites coupures.

— Il faut que je me les procure, remarqua Grayson.

— Oh ! j'attendrai, répondit hargneusement l'homme.

Et il s'assit pesamment en face du bureau.

Trois heures plus tard, John Mannering, plus élégant que jamais, entrait allégrement dans l'énorme immeuble de la City Bank, agence de Leadenhall Street, et y déposait 1 000 livres. Puis il entra toujours aussi allégrement dans la National Bank, et y déposa 1 000 autres livres. Enfin, il laissa 300 livres à la South-Eastern.

— Ma foi, soliloquait-il en se dirigeant vers le Ritz, je crois que j'ai bien mérité de garder 200 livres comme argent de poche. Je me servirai de Grayson dorénavant, mais le moins souvent possible ! Quel supplice !

Il lui semblait encore sentir la pression désagréable des tampons de caoutchouc qu'il avait gardés dans sa bouche toute la matinée — ce qui expliquait le « défaut de prononciation » — et des fausses dents également en caoutchouc, irrégulières et tachées, soigneusement appliquées sur ses dents véritables. Ces précautions, il le savait, valaient la peine d'être prises. Grayson, même s'il le voyait de très près maintenant, ne pourrait pas le reconnaître. Mais l'effort qu'il avait fait pour se dominer, contrôler sa voix, son accent, ses gestes, l'avait épuisé.

A 4 heures précises, il atteignait son appartement. Sans le moindre pressentiment, il ouvrit la porte et alluma une cigarette. Un coup d'œil autour de lui lui apprit aussitôt qu'il avait eu des visiteurs.

Au même instant, un très léger bruit lui parvint, venant de la salle de bains attenante au studio. Sans bouger, il inspecta plus attentivement la pièce. Aucun doute : un tiroir de son secrétaire était encore entrouvert, et des papiers gisaient en désordre sur le tapis. Il avait été cambriolé.

Immédiatement il pensa à Septimus Lee.

Durant ces derniers mois, il avait appris à raisonner vite et bien. Cette fois encore, il s'y appliqua : son appartement avait été passé au crible. Bon. Le cambrioleur était encore là, dans la salle de bains. Re-bon. Sa chance ne l'abandonnait pas. L'hypothèse la plus plausible était que Mr. Lee, avait décidé de poursuivre une petite enquête personnelle. Principal suspect, Mannering, seul à savoir que les diamants étaient chez le financier la nuit du vol.

La première tentation de John fut de se précipiter vers son secrétaire pour voir si les diamants étaient toujours dans leur petite cachette. Mais il se domina et se dirigea nonchalamment vers la fenêtre qu'il ouvrit, jetant sa cigarette dans la rue, d'un air négligent. Puis il enleva son veston, le jeta sur un fauteuil, et retroussa ses manches de chemise comme s'il allait se laver les mains. A aucun moment on n'aurait pu deviner qu'il avait remarqué quoi que ce soit. Sifflotant doucement son ariette préférée de Mozart, il se dirigea vers la salle de bains. Il savait que son visiteur était derrière la porte, guettant son entrée pour lui sauter dessus. Une idée subite lui vint : un sourire narquois aux lèvres, il poussa violemment la porte, de toutes ses forces. Comme il s'y attendait, il entendit un gémissement de douleur et le bruit d'un corps projeté contre un mur. La porte se referma, mais il l'arrêta avec son pied et se précipita dans la salle de bains, prêt à la bagarre. C'était bien inutile. Un homme taillé en Hercule se tenait là, aussi inoffensif qu'un petit enfant, tenant à deux mains un gros nez peinturluré de sang écarlate.

Mannering le réprimanda avec sollicitude :

— Ne fais surtout pas cela, mon vieux ! Il vaut mieux tenir ta tête en arrière. A moins que tu ne préfères que je te mette une clef dans le dos ?

L'homme jura méchamment, et tenta de frapper Mannering d'un crochet hésitant. Sans aucune peine, John arrêta le gros poing maladroit, et appliqua à son malheureux propriétaire deux bons petits directs en pleine mâchoire. L'autre chancela en gémissant.

— Cela t'apprendra à mordre la main qui te soigne ! proclama Mannering. Maintenant, tu vas enfoncer ta jolie petite figure dans ce lavabo.

D'une poigne énergique, il s'occupa lui-même de

plonger la grosse tête sous le robinet d'eau froide, qu'il ouvrit en grand. L'homme suffoqua, et se débattit, mais en vain. Au bout de quelques minutes, l'eau coula parfaitement claire.

— Maintenant, sèche-toi, dit Mannering toujours très joyeux. Seulement je te préviens : la prochaine fois que tu bouges, je te mets K. O.

L'autre obéit sans plus résister.

— Je me demande, se dit John en regardant le malheureux tamponner, non sans précautions, son nez rouge comme une tomate et aussi gros, je me demande si ma chance va continuer...

Plein de prévenances, il prit un flacon de teinture d'iode dans sa pharmacie, et le tendit à l'homme. Sa seule récompense fut un grognement furieux.

— Comme tu voudras ! Nous allons passer à côté, et tu vas tout me raconter bien gentiment. Parce qu'il faudrait que tu comprennes quelque chose : toi et moi allons devenir de grands amis.

Puis d'une voix sèche, il ajouta brusquement :
— Allez, accouche, et vite !

Les yeux de l'homme rencontrèrent les siens, puis se détournèrent :
— Je ne dirai rien.

Mannering haussa les épaules et se dirigea vers le téléphone.

— Je vais téléphoner à la police, voilà tout. Qu'est-ce que tu préfères : Scotland Yard ou le commissariat du quartier ? Je te préviens tout de suite que je ne plaisante pas, tu sais !

L'homme était sur des charbons ardents :
— C'est le patron...

Il s'arrêta. John souleva le récepteur :

— Tiens ! j'aurais plutôt pensé que tu travaillais pour ton compte !

Puis il fit le numéro des renseignements. On entendit la voix de l'opératrice, et l'autre eut aussitôt un cri terrifié, persuadé que Mannering ne bluffait pas.

— Je vais tout vous dire...

— Excusez-moi, dit John dans son téléphone, plus courtois que jamais, j'ai changé d'avis, mademoiselle.

Puis il raccrocha et se retourna vers sa victime, qui n'en menait vraiment pas large :

— Alors qui t'a envoyé ?

— Vous le savez aussi bien que moi ! grogna l'autre.

— Tu t'imagines que je peux lire dans tes pensées, peut-être !

— Sans blague, vous ne savez pas...

— Sans blague, je ne sais pas, non. Il m'arrive parfois de conserver ici quelques cailloux de valeur, et ton charmant patron a peut-être pensé qu'ils risquaient de m'encombrer. C'est très aimable à lui, tu pourras le lui dire de ma part...

— Alors, vous ne les avez pas ?

— Je n'ai pas quoi ?

— Les Rosas !

— Les Rosas !

John sembla littéralement tomber des nues.

— Nom d'un chien ! Alors, c'est Septimus qui t'envoie ! Je vais m'offrir le plaisir de tirer les oreilles de ce petit marchand de tapis ! Ma parole, il a perdu la tête : venir mettre à sac mon appartement sous prétexte qu'on lui a piqué ses fichus diamants ! Où est-il, Septimus ?

— Chez lui. Mais promettez-moi que vous ne

lui direz pas... Enfin que vous ne lui parlerez pas des Rosas.

— Et pourquoi veux-tu que je te promette quoi que ce soit ? Je me moque pas mal de ce que Lee peut te dire ou te faire.

Le sacripant ne répondit pas. Soudain Mannering lui tendit d'un geste cordial son étui à cigarettes grand ouvert :

— Une cigarette ?

Ahuri, l'autre prit machinalement une cigarette. Toujours aimable, John lui donna du feu. Ce simple geste acheva de décontenancer le voyou, surpris de cette soudaine générosité.

— Maintenant, mon garçon, tu vas me dire ce que tu m'as pris.

— Rien du tout... commença l'autre.

Mais, sur un regard de John, il fouilla dans sa poche et tendit deux petits carnets à son interlocuteur qui les prit avec un sifflement étonné :

— Par exemple ! Il t'a dit de prendre mes carnets de banque !

— Oui, monsieur.

— Et tu les as regardés ?

— J'ai pas eu le temps. Et puis, j'y connais rien, moi, à tous ces trucs-là.

— Si, affirma John, catégorique. Tu les as regardés. Tu étais même en train de les regarder quand je suis entré ; je te les ai repris, mais tu avais eu le temps de remarquer un nombre de 4 chiffres et un autre de 5 ou 6 chiffres. Tu as bien compris ?

Les yeux de l'homme eurent un clin d'œil complice :

— Très bien, monsieur.

— Tu te rappelleras : 4 chiffres et 5 ou 6 chiffres. Si tu ne m'obéis pas, je le saurai vite, et j'irai trouver ton patron pour lui murmurer un simple mot : « Rosas ». Maintenant, débarrasse-moi le plancher. Et passe donc chez un pharmacien, sans cela tu vas te promener avec un nez en lanterne vénitienne pendant une bonne semaine.

Le départ du gangster laissa John rêveur. Lee était encore plus fort qu'il ne le croyait. Le financier n'espérait pas récupérer les diamants, mais voulait jeter un coup d'œil sur son compte en banque !

C'était décidément un adversaire des plus dangereux. Il se promit d'aller lui rendre visite le lendemain même.

8

— Eh bien, puisque je vous dois des excuses, je vous les présente, Mr. Mannering.

— Pour ma part, c'est une bonne correction que je vous dois. La sœur jumelle de celle que j'ai administrée à votre chauffeur. Je viens de le rencontrer devant votre porte, et j'ai tout compris ! Même si je ne l'avais pas reconnu, j'aurais reconnu son nez. Il ne passe pas inaperçu. Il a payé pour le vôtre, Mr. Lee.

— Je suis certain, répliqua suavement Septimus, que vous n'oseriez pas employer la violence avec un homme de mon âge ! Mais je vous le répète, je vous présente mes excuses. Si vous vouliez bien examiner la question sans partialité, vous verriez qu'il était très naturel pour moi de vous soupçonner...

— C'est possible. Mais vos méthodes sont celles d'un...

— D'un truand ? Bien sûr. Mais, après tout, c'est bien à moi que vous vouliez acheter les diamants Rosas. Et vous saviez pourtant qu'ils avaient été volés... Qu'aurait pensé la police ou vos amis, s'ils avaient appris ce petit détail ?

— Ma foi...

Mannering réussit à rougir de manière très convaincante.

— De toute façon, c'est la dernière fois que je ferai une affaire avec vous, Mr. Lee.

— Croyez bien que je le regretterai éternellement, murmura Lee.

Mannering partit, l'air toujours courroucé. Et Septimus Lee décida qu'il avait fait une grave erreur en le croyant coupable.

Pour se changer les esprits, Mannering se rendit ensuite chez un vieux monsieur qu'il affectionnait beaucoup et qui lui rendait de grands services sans le savoir. Mr. Seltzer était professeur de langues... de prononciation plutôt, car il n'avait pas son pareil en Europe pour prendre les accents les plus divers et les plus nuancés. Il aurait été très surpris s'il avait appris que cet élève charmant et si bien doué ne suivait ses leçons que pour exercer mieux encore un métier des plus répréhensibles. Son gros visage réjoui s'illumina quand il vit entrer John dans son petit bureau :

— Je ne fais que passer. Je voudrais pendant dix minutes être un véritable Français.

— Vous voudriez parler comme un Français, corrigea Seltzer. Vous avez l'air bien trop anglais pour que l'on s'y trompe jamais !

En rentrant chez lui, Mannering trouva un mot de Toby Plender qui lui demandait de passer le voir.

Quand il entra dans le bureau de l'avoué, celui-ci l'accueillit d'un sourire de porte cochère :

— Dis donc, tu ne devineras jamais qui est venu me parler de toi ? Un type de la police, figure-toi. Tu le connais, l'inspecteur Bristow ?

— Bristow ! répéta lentement John, pendant

que la pièce lui semblait tourner lentement et s'emplir de brouillard.

— L'inspecteur Bristow... celui qui s'est occupé de l'affaire Kenton...

— ... et de la douairière, par conséquent ! réussit à dire John d'un air dégagé.

— C'est cela ! gloussa Toby.

John se sentit rassuré : si Plender avait appris quoi que ce soit, il ne rirait pas aussi joyeusement ! Il s'était certainement passé quelque chose d'inhabituel, mais rien de grave.

— Qu'est-ce qu'il me veut, ton Bristow ?

— Il cherche un détective amateur, tout simplement ! Figure-toi qu'il a remarqué qu'une demi-douzaine de personnes, toujours les mêmes — dont tu fais partie, d'ailleurs, mon cher ! — se trouvaient présentes chaque fois qu'un mauvais coup...

— Un mauvais coup ? Ah ! oui, je comprends !

Mannering commençait à sourire : la vérité se faisait jour, une vérité des plus surprenantes !

— Bristow a fini par penser que le coupable était peut-être un des domestiques. Il ne peut pas suivre les Fauntley et toute leur smala à travers l'Angleterre ! Mais comme tu n'es jamais très loin de la petite Fauntley, ajouta-t-il avec un sourire discret, l'inspecteur s'est dit que tu pourrais le remplacer et surveiller toute cette clique.

— Moi ?

— J'avoue que l'idée paraît curieuse, mais il a l'air d'y tenir sérieusement. Il voulait que je t'en parle d'abord... Eh bien, qu'est-ce qui te prend ?

Mannering était devenu rouge comme une tomate. Plié en deux, il se tenait les côtes à pleines mains. Puis il se renversa en arrière dans son fauteuil, riant aux éclats, d'un grand rire sonore qui reporta Plender au bon vieux temps des chahuts à Cambridge ! C'était un rire contagieux, et Toby ne put y résister. Absurdement, sans raison, il accompagna John.

Mais seul Mannering savait pourquoi il riait, et à quel point la proposition que venait de lui faire Plender pouvait être amusante !

— Vous comprendrez certainement, Mr. Mannering, déclara l'inspecteur Bristow, que je suis seul responsable de cette idée. Je suis un peu gêné de vous faire une proposition aussi... surprenante, mais les vols deviennent vraiment trop fréquents. Si je mettais des hommes à moi dans le circuit, les voleurs risqueraient de se méfier, et de s'arrêter momentanément. Or, je voudrais les prendre la main dans le sac. Ce qui me sera plus facile si vous les surveillez, car pas une seconde ces gaillards ne penseront que vous travaillez avec la police !

— *Ces* gaillards ? demanda John.

— Oui. Je pense qu'ils sont au moins deux. A vrai dire, je dois vous avouer que je nage complètement. Comme le dit si gentiment la presse, je suis en plein cirage. Elle a parfaitement raison, entre nous !

Mannering alluma une cigarette en prenant son temps et jeta son allumette par la fenêtre grande ouverte du bureau de Bristow, à Scotland Yard. Il avait répondu séance tenante à la proposition de rendez-vous faite par l'intermédiaire de Toby, et s'était rendu chez le policier, qui était enchanté de son empressement.

— Je vous dois également un petit aveu, déclara-t-il. Vous me faites un très grand plaisir, Inspecteur : j'ai souvent été tenté de jouer les détectives amateurs, mais j'ai toujours craint de gêner la police et de me faire rappeler à l'ordre. J'ai remarqué, en lisant des romans policiers, que les amateurs semblent énerver considérablement les professionnels !

Bristow trouvait John fort sympathique. Il lui facilitait la tâche avec cette déclaration. Ce n'était plus la police qui venait demander un service au jeune homme, mais celui-ci qui sollicitait une faveur ! Mannering serait un allié précieux : très riche, il pouvait consacrer son temps à aider la police. Et, d'autre part, Plender, un des avoués les plus respectables de Londres, se portait garant de lui.

— Nous énerver ! Bien au contraire, Mr. Mannering, vous pourrez être assuré que nous vous donnerons toute l'aide nécessaire. Voyez-vous, j'ai fait surveiller tous les domestiques. Les enquêtes n'ont rien donné : ils semblent au-dessus de tout soupçon. J'avais commencé par mettre en doute l'existence d'un voleur venant de l'extérieur, mais je vais être obligé d'y revenir. On trouve chaque fois une échelle, une porte ouverte ou fracturée, enfin un détail qui indique clairement qu'il s'agit d'un visiteur étranger. Avec peut-être un complice dans la place...

Mannering prit un air fort intéressé :

— Je crois qu'il serait plus simple, inspecteur, que vous me mettiez au courant de tout ce que vous avez appris. Votre point de vue me sera précieux.

Le Vieux Bill était de plus en plus ravi. Son aide bénévole ne jouait pas les « j'en sais plus que la police ». Il avait au moins l'intelligence de demander quelles découvertes avait faites Scotland Yard. Décidément, John plaisait beaucoup à Bristow.

Et, réciproquement, John comprenait enfin pourquoi le Vieux Bill était tellement populaire parmi ceux qu'il envoyait pourtant réfléchir à l'ombre des barreaux sur les dangers de leur profession. Il y avait en Bristow une qualité humaine immédiatement perceptible. John se sentit brusquement un peu gêné.

— Tout d'abord, commença Bristow, je dois vous dire que nous avons baptisé notre homme « Le Baron ».

Ce « le » flatta Mannering, et il apprit avec intérêt que cette syllabe honorifique lui avait été décernée par le Superintendant Lynch. Il apprit aussi l'existence et la disparition du reçu de Schmidt. Puis Bristow le mit au courant de tout ce qu'il avait découvert sur les hauts faits du Baron. Pendant une heure, ils se penchèrent ensemble sur les vols successifs, comparant la liste des invités, des domestiques, des fournisseurs, et John put parfaitement se rendre compte des puissants moyens dont disposait son ennemi.

— Vous voyez que vous n'aurez pas un travail des plus faciles, Mr. Mannering, conclut Bristow. Avant tout, il faudrait que vous vous teniez le plus près possible des commutateurs électriques.

— Je dois pouvoir y arriver, répondit John très sérieux.

— Et néanmoins, que vous ne vous fassiez pas remarquer !

— Je peux toujours essayer. Vous n'avez aucune

idée du prochain théâtre que va choisir notre homme ?

— Si : le mariage Overndon. Voyez-vous, quand les Américains font une chose, ils la font vraiment bien. Vous avez évidemment entendu parler de ce mariage ?

Mannering acquiesça. Il savait que son ancien amour, Patricia, épousait un garçon richissime, Frank Wagnall, venu avec ses parents et quelques amis passer la saison à Londres, et que les yeux bleus de la jeune fille avaient retenu... jusqu'au mariage. Il s'était bien dit que cette petite cérémonie lui offrirait l'occasion d'un coup de main plus important que ceux qu'il s'était permis jusqu'à ce jour, les diamants Rosas exceptés.

Bristow continuait :

— Le père du marié, Mr Wagnall, nous a demandé un détective pour la circonstance. Mais il a également engagé un homme de chez Dorman. Les cadeaux de mariage seront presque aussi bien gardés que les joyaux de la couronne.

— Presque, seulement ?

— Oui : je me méfie du Baron. Il est très habile. Il faut bien nous mettre cela en tête.

John réprima difficilement un « merci beaucoup » qui lui vint aux lèvres.

— Une seule chose me rassurerait un peu : le Baron ne s'est jamais attaqué à du gros butin. Et là... il n'y aura presque que cela ! Mais je me dis aussi qu'il finira bien par le faire un jour.

— Je suis de votre avis. Mais pourquoi au mariage Overndon ? Il y a un grand bal chez lady Hampton, et le mariage de la petite Forster...

— C'est la publicité qu'il y a eu autour de cette petite cérémonie de famille. Drôle de famille :

un millier de personnes au bas mot ! Les colonnes d'échos mondains sont farcies de détails. C'est le mariage qui fait le plus parler de lui en ce moment, ajouta Bristow.

— Si je comprends bien, ils cherchent la bagarre ?

— Exactement. Je dois dire que nous avons pris toutes les précautions nécessaires, mais... J'aurais voulu vous demander d'y assister. Je suppose que cela doit vous être possible ?

— Très possible !

— J'y tiendrais beaucoup, insista l'innocent Vieux Bill, tandis que Mannering allumait une cigarette pour dissimuler l'ombre d'un sourire narquois.

Il fut reconduit avec égards jusqu'à la porte du Yard par un sergent des plus respectueux, et se demanda quelle tête ferait Bristow s'il apprenait un jour qu'il avait demandé au Baron de se faire inviter au mariage de Patricia Overndon !

9

Pour le mariage de Patricia, le colonel Belton avait mis à la disposition de lady Overndon son personnel, son jardinier, son chef, sa maison et même son argenterie. Un important état-major s'occupait donc du petit millier d'invités que Patricia appelait sans rire « mes amis intimes ». Pour les Wagnall, c'était une « simple fête de famille ». La réception se déroulait sans incident. La mariée, ravissante sous sa petite couronne de perles, semblait contrainte ou, comme le pensa plus brutalement John, « maniérée ».

— Dire que j'ai eu envie d'épouser cette pimbêche ! se dit-il rêveur.

Et Lorna, tout aussi rêveuse, se demandait :

— Pourquoi John a-t-il l'air aussi absorbé ?

En réalité, il attendait avec impatience le moment où il pourrait faire une visite détaillée et rien moins que désintéressée aux cadeaux de mariage.

Ceux-ci avaient été réunis dans la bibliothèque. Sans aucune fenêtre, elle était éclairée par un plafond entièrement vitré. Son unique porte donnait sur le hall. Elle était flanquée de deux hommes en civil qui sentaient leur détective à trois lieues à la ronde. Le plus gros venait du Yard. « C'est mon meilleur homme, le sergent Tring », avait déclaré Bristow à John la veille. L'autre était un détective privé. De plus, John savait qu'un gardien veillait à l'extérieur.

Il attendit que les mariés se soient éclipsés vers quelque lac italien ou suisse, et décida de passer à l'action. Une inspection détaillée des cadeaux lui avait appris que trois seulement valaient la peine que le Baron daignât s'en occuper : la rivière de diamants que Wagnall père offrait à sa bru — une bagatelle de quelques 60 000 livres — les saphirs que Wagnall fils offrait à sa femme, et le collier de perles que lady Kenton offrait à Patricia Overndon. A la surprise générale, ce dernier était très beau, et certainement de grande valeur. Mannering se dit que la douairière, ayant présenté Frank à Patricia, devait se considérer comme la responsable du mariage...

Lorsque John entra dans la bibliothèque, il aperçut aussitôt lady Kenton, qui y avait établi son quartier général, soucieuse de ne perdre aucun des commentaires élogieux que suscitait sa générosité. Pour l'instant, elle était aux prises avec un jeune Américain, Gerry Long, dont elle attendait les compliments. Gerry s'en tira fort bien, et le visage de la douairière s'illumina ; mais John mit le comble à ses délices. Il se pencha sur les perles, les examina puis se redressa, l'œil sombre, la mine attristée, comme un vrai collectionneur dépité de voir une pièce rare lui échapper, et déclara simplement :

— C'est la plus belle chute que j'aie jamais rencontrée !

Plus tard, en se rappelant cette journée, il ne put s'empêcher de sourire, car pour facile que puisse paraître le jeu de mots, il s'imposait : en effet, au même moment, lady Kenton, perdant la tête de ravissement, heurta violemment son pied contre une chaise ou une table : elle ne fut pas capable de le préciser par la suite. Elle retint avec peine une exclamation de douleur, et se mit à sautiller sur un pied, spectacle des plus surprenant, et qui ne manqua pas d'attirer l'attention de Gerry et de John. Ceux-ci se précipitèrent à son secours, un peu trop vite puisqu'elle perdit l'équilibre, et s'étala de tout son long sur la table qui supportait les cadeaux les plus importants. Cette fois, elle poussa un véritable cri, et les deux détectives s'élancèrent avec un ensemble parfait. Ils arrivèrent pour voir la douairière cramponnée à la table, les volants violets de sa robe dissimulant la plupart des cadeaux. Mannering et Long faisaient de leur mieux pour lui rendre sa respectabilité... Vingt ou trente objets variés, mais tous fort précieux, jonchaient le plancher, et tout ce qu'il y avait de rond roulait allégrement le plus loin possible. La confusion était complète. Les détectives, dépassés par les événements, essayaient de compter les cadeaux, recomptaient les mêmes, perdaient la tête, se trompaient, recommençaient.

Mannering s'amusait beaucoup. Quand la douairière s'était effondrée sur la table — grâce à l'obligeante intervention de John — le collier de perles était à moins de 10 centimètres de la main droite du jeune homme. Il avait donc laissé le sort choisir pour lui et, dédaignant diamants et saphirs, avait rapidement glissé les perles dans sa poche, tout en s'affairant pour venir en aide à la comtesse. Il savait que son visage impassible n'avait rien laissé deviner de son geste, et que personne ne l'avait vu.

— Je suis confuse, déclarait la douairière. Je ne sais vraiment pas ce qui s'est passé !

— C'est de ma faute, dit John avec sincérité.

— Non, c'est de la mienne, s'empressa Gerry Long.

Lady Kenton, elle, affirma que ce n'était la faute d'aucun des deux jeunes gens. Elle avait du mal à reprendre sa respiration, et essayait de se rendre compte des dégâts qu'elle avait provoqués. Des brosses en or, des couverts en argent, des vases en cristal, et deux bonnes douzaines de rince-doigts jonchaient le sol. Les détectives n'avaient ramassé que les bijoux.

De nombreux invités étaient entrés, attirés par le bruit. Mannering aperçut Lorna et, d'un regard, l'invita à emmener la comtesse qui avait un don surprenant pour ajouter au tumulte et à l'affolement environnants. Sans avoir l'air d'y toucher, Lorna réussit à les débarrasser de la vieille dame. La plupart des invités les suivirent. Cependant John décida de prendre les choses en mains.

— Vous devriez vérifier les cadeaux, et vous assurer que le compte y est, suggéra-t-il au sergent Tring.

— Je ne pense pas qu'il manque quelque chose, monsieur, mais vous avez raison. Il y a eu pas mal d'entrées et de sorties depuis un moment... ce serait bien ennuyeux si...

— Exactement, approuva Mannering.

Ses doigts caressaient les perles, au fond de sa poche.

— Voulez-vous que je vous aide ?

— Non merci, nous nous débrouillerons très bien. Mais nous allons faire sortir tout le monde pendant quelques minutes, et même fermer la porte à clef.

— Excellente idée. Je vais prévenir le colonel Belton.

Le colonel était des plus contrarié par cet événement imprévu :

— Si les femmes de l'âge d'Emma ne portaient pas des talons de mannequins, tout cela n'arriverait pas. Je me suis toujours demandé comment elle tenait en équilibre sur ces échasses.

Les invités s'étaient calmés, et les jeunes gens avaient recommencé à danser. Cela ne faisait guère l'affaire de John. Pour sa tranquillité, en effet, il fallait que quelques personnes s'en allassent avant que la police ne se soit aperçue de la disparition des perles.

Heureusement, il vit lady Mary, qui, bavardant avec les parents de Frank Wagnall, étouffait difficilement un bâillement. Il se dirigea vers eux. Il lui fallait faire vite : il estimait que les policiers ne lui laisseraient guère plus d'une très petite demi-heure de répit. Après deux minutes de conversation, il imita lady Mary et fit mine de dissimuler un bâillement. Elle sourit :

— A mon âge, c'est compréhensible. Ma sieste de l'après-midi me manque, c'est tout naturel ! Mais vous, John !

— Je me couche toujours très tôt, répondit John sans rougir. Vous m'avez l'air de tenir le coup beaucoup mieux que moi, d'ailleurs.

Le sourire de lady Mary se transforma en bâillement, et ils se mirent tous deux à rire, accompagnés par les Wagnall.

— J'ai l'impression que je vais m'endormir debout, dit lady Mary. J'ai bien envie de regagner mes appartements. Et vous, Georges, vous avez beau faire l'hypocrite, vous avez au moins aussi sommeil que moi.

Mme Wagnall renchérit :

— Je n'ai vraiment plus qu'une envie : mon lit ! Je crois que nous devrions donner le signal du départ. La moitié de nos invités seraient enchantés de pouvoir filer !

— Les mariages sont vraiment la chose la plus fatigante du monde ! bâilla lady Mary.

— Et la plus inutile, remarqua le colonel.

— Oh ! colonel, je ne vous savais pas partisan de l'union libre ! ironisa Daisy Wagnall, tandis que lady Mary étouffait un rire.

Le petit groupe s'ébranla, suivi bientôt de quelques invités. En moins d'une demi-heure, une bonne vingtaine de personnes s'étaient échappées.

C'était plus qu'il ne fallait à John, et il alla rejoindre Lorna.

— Croyez-moi si vous voulez, mais je n'ai plus du tout sommeil maintenant. Allons danser, tous les deux, seuls...

Lorna semblait triste, et ses yeux gris souriaient distraitement à John quand le colonel les interrompit. Il était bouleversé. Mannering, impassible, se dit que tout était découvert, et sa main plongea dans sa poche droite, frôlant les perles, pour prendre son étui à cigarettes. Mais le colonel n'entendait pas le laisser fumer :

— Vous n'imaginerez jamais ce qui arrive !...

Il s'arrêta, et jeta un coup d'œil éloquent vers Lorna, avec une telle candeur que celle-ci ne put s'empêcher de sourire.

— Je crois qu'on m'appelle là-bas, colonel, vous m'excuserez ?

Elle s'éloigna gracieusement : le soulagement du colonel était aussi visible que son agitation.

— Et que vous arrive-t-il donc ? demanda John.

— La plus grande surprise de ma vie, répondit Belton, en toute simplicité.

Il faut dire que pour John aussi, la surprise devait être de taille !

Le colonel avait le plus grand mal à contrôler sa voix, et sa grosse moustache blanche tremblait.

— Il s'agit du jeune Américain, Long. Gerry Long... il a... enfin... Sapristi, vous n'allez jamais me croire, Mannering, mais les perles que lady Kenton avait offertes à Patricia...

— Et bien...

— Et bien, elles ont disparu, et on a arrêté Gerry Long !

— Gerry Long !

Les mots échappèrent à John, avec une violence qui le surprit lui-même. Pour une fois, cependant, sa stupéfaction pouvait sembler parfaitement légitime. Il fixa Belton, les yeux écarquillés.

— Gerry ! Arrêté ! Mais c'est ridicule ! De quoi le soupçonne-t-on, colonel ?

Le colonel était de plus en plus agité, et ennuyé...

— On ne le soupçonne pas, mon cher. On a trouvé les perles dans sa poche !

Cette fois l'ahurissement faillit couper la parole à John : il avait les perles dans sa poche, Gerry ne pouvait donc pas les avoir également ! Et pourtant Belton paraissait tout à fait convaincu, et ce n'était guère un homme à croire ce qu'il n'avait pas vu de ses yeux !

— C'est impossible, voyons, c'est une mauvaise plaisanterie... Attendez-moi une seconde, Colonel. Je vais saluer miss Fauntley et je vous rejoins.

Lorna ouvrit de grands yeux étonnés quand John lui apprit qu'ils n'allaient plus danser tous les deux :

— Il arrive quelque chose d'ennuyeux ?

Pendant une seconde, il lut une réelle anxiété dans son regard. Il sourit avec effort, et répondit avec une désinvolture bien imitée :

— Rien de grave... La seule chose qui compte pour moi, c'est que je ne finirai pas la soirée avec vous !

Lorsque John rejoignit Belton, celui-ci discutait avec Wagnall, le père du marié.

— On l'a pris en flagrant délit, pour ainsi dire, affirmait le colonel.

— C'est impossible, rétorqua Wagnall. Je ne peux pas le croire. Je connais Gerry depuis toujours, Colonel. Ça doit être une blague idiote !

Mais des trois, John était certainement le plus étonné. En remettant son étui à cigarettes dans sa poche, il venait encore de caresser les perles qui roulaient sous ses doigts !

Les trois hommes entrèrent dans la bibliothèque. Le sergent Tring murmura d'une voix discrète, mais sur un ton joyeux qui surprenait :

— Drôle d'histoire. Heureusement que vous avez pensé à nous faire vérifier les cadeaux !

Mannering répondit du bout des lèvres. Ses yeux ne quittaient pas Gerry. Il se sentit aussitôt affreusement inquiet : le visage du jeune Américain était décomposé. Par un effort de volonté, il arrivait à sourire, mais d'un sourire machinal et presque imbécile.

A côté de lui, sur une petite table, un collier de perles luisait d'un éclat tendre et innocent. Pour la cinquième fois en dix minutes, Mannering plongea la main dans sa poche. Les perles étaient là. Il y avait donc deux colliers !

Le premier, Wagnall rompit le silence :

— Quelle histoire absurde, Gerry !

Au grand soulagement de John, sa voix était affectueuse, et presque amusée.

— Qu'est-ce qui se passe ?

Les doigts de Gerry se perdirent dans ses cheveux blonds. Il soupira d'un air désolé :

— Je n'ai rien à dire, hélas ! Je ne sais rien. Je n'ai même pas touché les perles qui étaient sur cette table.

Il s'arrêta court et haussa les épaules, résigné.

— Alors que diable signifie tout cela ? fit Wagnall d'une voix tonnante.

Tout le monde se regarda d'un air gêné. John, s'avançant d'un pas, étendit la main, prit le collier qui reposait sur la petite table, et le fit rouler entre ses doigts, l'examinant attentivement. Les yeux des assistants le suivaient avec intérêt. Puis il reposa le collier :

— Elles sont fausses, vous savez ! déclara-t-il tranquille.

Dans le silence qui suivit, on entendit Gerry pousser un petit soupir. Le premier à reprendre ses esprits fut le sergent Tring.

— Fausses ? Mais alors les vraies perles se sont envolées ?

— A moins qu'on ne les ait remplacées par une imitation pour l'exposition des cadeaux, dit John, interrogeant du regard Wagnall et Belton.

— Certes pas ! protesta l'Américain. N'importe

qui aurait pu s'en apercevoir. C'étaient bien les vraies perles.

— En tout cas, celles-ci sont fausses. Pas mal imitées, d'ailleurs.

D'un geste négligent, Mannering reprit le collier et le lança vers Gerry, qui l'attrapa au vol.

— Qu'en pensez-vous, Gerry ? Moi, je ne suis pas un expert comme vous...

Le jeune Américain examina les perles de très près. Ahuri, il conclut :

— Vous avez raison, Mannering. C'est une excellente imitation.

— Mais pourquoi une imitation ? s'exclama Wagnall. Bonté divine, Gerry, ces perles ne sont pas entrées dans ta poche toutes seules, quand même. Où les as-tu trouvées ?

Sa voix s'était durcie, et son regard était presque agressif. Gerry paraissait toujours aussi mal à l'aise.

— Elles étaient dans ma poche, d'accord. Mais quelqu'un a dû les y mettre...

Le sergent Tring, lui, semblait enchanté du tour que prenaient les choses. Les perles avaient disparu, c'était un fait. Le suspect était un ami du fameux et tout-puissant Mr. Wagnall, c'en était un autre. Et tout ceci se déroulait au nez et à la barbe de la police, troisième circonstance aggravante. Il allait y avoir quelques moments difficiles à passer, Poids-Lourd était donc dans son élément. Ce fut avec un air des plus réjouis qu'il prit la parole :

— Je crois que Mr. Mannering a raison. C'est une imitation que nous avons trouvée là !

Les yeux de Wagnall fulgurèrent :

— Je suppose que c'est tout ce que vous serez

capable de trouver ! Evidemment, vous n'avez pas la moindre idée de l'endroit où peuvent bien être les véritables perles ?

Imperturbable, Poids-Lourd répondit de son ton hilare :

— Pas la moindre, non. Mais j'ai téléphoné à mon chef, l'inspecteur Bristow. Il arrive. En attendant, nous allons fouiller tout le monde.

Le colonel Belton parut aussi affolé que s'il avait été coupable :

— C'est impossible, vous ne pouvez pas fouiller mes invités... C'est inadmissible.

— La loi est la loi, répondit Poids-Lourd d'un ton sentencieux.

C'était là un argument irréfutable pour le colonel ; il se tut, plus cramoisi que jamais.

Wagnall, plus positif, prit la chose avec philosophie :

— Je crois que nous n'avons pas le choix !

Il y eut un silence. Le sergent Tring intriguait Mannering, et le décevait aussi : pourquoi fouiller quelques invités, alors qu'une grande partie d'entre eux étaient déjà partis ? Il était difficile de supposer que le coupable était resté là sans réagir attendant que la police le fouille... Et pourtant c'était la vérité. Les perles semblaient plus lourdes dans la poche de John. Mais il comprit vite que cette menace de fouille n'était qu'une feinte, pour amener Gerry à se trahir.

— Je suis désolé, colonel, fit Gerry, à la pensée que vos invités vont être importunés. Ma parole ne suffit évidemment pas au sergent ? Je vous assure que c'est la première fois que je vois ces perles.

— C'est vrai, Gerry ? demanda Wagnall avec calme.

— Oui, monsieur.

La voix de Gerry était ferme, mais il s'empour-pra. Pourtant Wagnall n'hésita pas :

— Je te crois, dit-il, laconique.

Poids-Lourd remarqua :

— Je ne peux vous imiter, Mr. Wagnall...

L'Américain le regarda sans aménité.

— Je parlerai à l'Inspecteur, aboya-t-il. Nous arrangerons cela !

John sentit que le danger s'éloignait. Il respira rassuré.

— Et cette fouille ?

— Inutile, monsieur. La moitié des invités sont partis à l'heure qu'il est, répondit tranquillement le sergent.

Le petit sifflement étonné de John fut parfait :

— Pas possible !

C'est alors que l'inspecteur Bristow fit irrup-tion. Tring lui résuma la situation en quelques mots. Le nom de lady Kenton lui fit lever un sour-cil agacé. Par contre, il parut enchanté de l'ini-tiative de John, demandant que l'on vérifie la liste des cadeaux. Il se rembrunit au récit de la découverte des perles fausses, et jeta un coup d'œil étonné à Gerry Long.

— Et comment avez-vous pensé que ce jeune homme pouvait avoir les perles ? s'étonna-t-il.

— Il était devant la porte de la bibliothèque lorsque je suis sorti, monsieur. — Qu'est-ce qui se passe ? m'a-t-il demandé ? Comme je savais que c'était un ami du marié, je lui ai répondu : le collier de lady Kenton s'est envolé. Il a eu un geste instinctif vers sa poche droite. Ce qui m'a mis la puce à l'oreille.

Bristow ne put s'empêcher de penser que ce n'était pas très réglementaire, mais il se garda bien de le dire. Il chargea Tring et le détective privé de surveiller la bibliothèque, et proposa une petite conférence à cinq.

Trois minutes après, Wagnall, Long, Belton, Mannering et l'inspecteur étaient réunis dans le bureau du colonel, autour de confortables whiskies. John remarqua que Gerry Long se précipita sur le sien, comme s'il avait le plus grand besoin d'un remontant. L'attitude du jeune Américain le désorientait de plus en plus. Que savait-il ? Et pourquoi se taisait-il s'il savait quelque chose ? Et surtout, pourquoi était-il aussi mal à l'aise, puisqu'il était innocent ?

Bristow posa de nombreuses questions, toutes calculées non sans adresse pour que Gerry se trahisse. Mais le jeune homme ne démordit pas de son histoire : les fausses perles avaient été glissées dans sa poche à son insu. C'est tout ce qu'il savait. Peut-être avant la chute de lady Kenton, peut-être après. Impossible de le préciser. Le collier étalé sur la table, lorsqu'ils s'étaient penchés, John, lady Kenton et lui-même, lui semblait authentique. Mais la lumière était mauvaise, et il n'avait pas touché les perles...

— Vous êtes certain que vous ne les avez pas touchées ?

— Demandez à Mannering ! répondit Long avec un petit sourire.

John acquiesça :

— Aucun de nous n'a touché les perles, Inspecteur.

— Alors, messieurs, si je comprends bien, nous n'avons aucune preuve que les perles aient été volées pendant ce petit incident. Elle ont pu disparaître avant, et même après. Je pencherais plutôt pour « avant ». Il semblerait que quelqu'un ait échangé les vraies perles contre une imitation, pour glisser ensuite celles-ci dans la poche de Mr. Long.

— Merci, souffla Gerry.

— Mais pourquoi faire disparaître ces fausses perles, Inspecteur ? C'est incompréhensible, et parfaitement illogique, remarqua John.

— Je suis de votre avis. Pour être franc, je vous avoue que je n'y comprends rien. Je ferai tout mon possible pour retrouver ces perles, Mr. Wagnall, mais je ne peux rien vous promettre. Ce travail a été admirablement mené ! Nous avons perdu un temps précieux avec le faux collier...

Mannering se sentit satisfait : en effet, son plan avait réussi ; mais cette histoire de fausses perles l'intriguait : quelqu'un convoitait les perles en même temps que lui, aujourd'hui. Il aurait donné cher pour savoir qui était cet inconnu qui lui avait facilité la tâche, embrouillant si bien les pistes que personne, certainement, ne se doutait de la vérité.

10

Le lendemain matin, Mannering décida d'aller faire un petit tour à Scotland Yard. Bristow et le sergent Tring, tous deux en conférence, parurent enchantés de le voir.

— Dites-moi, Inspecteur, demanda John, êtes-vous bien certain que le collier offert par lady Kenton était authentique...

— Nous avons pris nos renseignements : lady Kenton a acheté ses perles chez Daulby, et les a payées par chèque. Elles ont été livrées hier matin chez le colonel, par un employé de la bijouterie, directement. Et elles valent très exactement 10 880 livres...

— Félicitations ! vous travaillez vite ! Alors si je vous comprends bien, nous ne sommes certains que d'une chose : les perles ont disparu hier entre la matinée et la soirée... Le petit incident auquel nous avons assisté, Gerry et moi, peut ne rien signifier du tout.

— Et voilà ! Comme vous le voyez, c'est un drôle de casse-tête. Je n'arrive pas à démêler un seul fil ! Et puis votre ami américain vient nous offrir une petite complication dont je me serais bien passé ! Je donnerais pourtant cher pour mettre la main sur notre homme !

Le téléphone bourdonna discrètement. L'inspecteur décrocha, et rugit dans le combiné... Sa bonne humeur sembla disparaître aussitôt. Sans pouvoir comprendre le sens de sa conversation, Mannering se douta qu'il s'agissait du collier de perles... Lorsque Bristow raccrocha, il avait le sourcil froncé et l'œil sombre. John reconnut la petite sensation qui lui était devenue familière : son cœur s'arrêtait, puis repartait à toute vitesse. Il s'imagina que la police était allée perquisitionner chez lui et avait trouvé les perles.

Les premiers mots de Bristow le rassurèrent, pour lui donner aussitôt un autre sujet d'inquiétude :

— Je suis désolé, Mannering. J'ai une nouvelle désagréable à vous annoncer. On dirait que Poids-Lourd avait bien mis la main sur notre voleur !

— Poids-Lourd ?

— C'est le sergent Tring, expliqua Bristow. Nous avons appris que ce n'est pas la première fois que Gerry Long se livre à ce petit jeu-là !

Mannering se trouva tout bête, et resta bouche bée, contemplant le détective. Celui-ci ne paraissait pourtant guère d'humeur à plaisanter ! Gerry Long n'en était pas à son coup d'essai ! Que signifiait cette histoire ?

Il alluma une Benson, et avoua, sans mentir le moins du monde :

— Pour le coup, je n'y comprends plus rien. Je m'imagine mal Gerry en cambrioleur, Inspecteur !

— Vous savez que c'est un collectionneur enragé... et il faut croire qu'il ne se montre pas très difficile sur le choix des moyens quand il s'agit de se procurer une pièce rare. Nous avions câblé à New York, et ils viennent de nous répondre : c'est la troisième fois que Long est mêlé à un scandale de ce genre. Les deux autres fois, il a réussi à acheter et sa liberté, et le silence des journaux.

— Acheter ? murmura John étonné.

— Oh ! tout est possible, là-bas... Ils ont plaidé irresponsable : kleptomanie. Sa fortune aidant, il s'en est chaque fois tiré avec un simple avertissement. Mais cette fois-ci...

— Je vois !

John se sentit tout à coup mal à l'aise et inquiet. Les conséquences de son acte le dépassaient. Quoi qu'il puisse arriver, il ne fallait pas que Long en soit la victime.

— Il a pris les véritables perles, mais n'a pas eu le temps de les remplacer par leurs sosies, continuait Bristow.

Mannering secoua la tête :

— Non, je ne peux pas croire qu'il soit coupable ! Si un homme sur terre est innocent de cet... escamotage, c'est bien Gerry !

— Alors pourquoi est-il inquiet ? Et que faites-vous de ses précédents ?

— Précisément, ceci explique cela : Long sait qu'il est suspect. Il sait aussi qu'il n'en est pas à son coup d'essai. Il craint que nous ne fassions le rapprochement, voilà tout ! C'est très logique, non ?

— C'est possible, en effet.

Un silence tomba. Bristow était soucieux, John inquiet.

— Je crois que vous avez de l'amitié pour le jeune Long, Mannering. Je vais l'interroger, et sans perdre de temps.

— Laissez-moi plutôt lui parler, proposa John. Chez moi, par exemple. Vous ou votre sergent pourrez écouter de la pièce à côté. Les réactions de Long seront beaucoup plus naturelles... Avec moi, il ne se méfiera pas. Avec vous il se tiendra sur la défensive, vous n'en tirerez rien.

— C'est une idée, mais...

— Vous craignez que je ne l'avertisse, et que nous jouions une petite comédie ?

Bristow eut l'air légèrement confus :

— Non, je vous en crois tout à fait incapable. Nous allons suivre votre plan. Où et quand ?

— A six heures, rendez-vous dans mon appartement de Brook Street. Il est quatre heures, j'ai tout le temps de joindre Gerry.

John quitta Bristow et se hâta. Il avait mis Gerry Long dans le pétrin, il l'en sortirait. Il savait que sa conscience, jusque-là silencieuse, ne lui laisserait plus une minute de répit si le jeune homme devait supporter les conséquences d'un geste du Baron. Le Baron avait, bien involontairement, fait du tort à Gerry. Le Baron allait le réparer.

Les traits tirés par l'inquiétude, Gerry dévisagea John. Depuis qu'il était arrivé, il n'avait pas cessé d'allumer cigarette sur cigarette pour les éteindre aussitôt d'un geste machinal. Mannering le regardait avec pitié. Il semblait à deux doigts de la dépression nerveuse, et la révélation que venait de lui faire John l'avait achevé. Effondré, il murmura d'une voix consternée :

— Alors vous en avez entendu parler ?

Mannering lui sourit amicalement. Il savait que,

dans la chambre voisine, Bristow et Tring étaient aux écoutes, et il espérait bien que les révélations de Long les convaincraient l'un et l'autre de l'innocence du jeune homme.

— J'ai entendu raconter quelques petites histoires, oui.

— Et la police ? demanda anxieusement Gerry.

— En admettant qu'ils ne sachent encore rien, cela ne tardera pas ! C'est à vous de vous tirer de là, Gerry. Je suppose que vous avez dit la vérité, hier ?

C'était là plus une affirmation qu'une question, et Gerry le comprit.

— Rien que la vérité. Je n'ai pas touché ces maudites perles.

— Alors il ne faut pas vous affoler ainsi. Ils ne peuvent rien prouver puisque vous n'avez rien fait. C'est très désagréable, je sais bien...

— Si ce n'était que désagréable, interrompit amèrement Gerry. Il vaut mieux que je sois franc avec vous, Mannering. C'est une véritable catastrophe pour moi. J'ai fait la bêtise de taille, et j'ai eu la chance de m'en tirer. Le plus idiot, d'ailleurs, c'est que je ne pourrai jamais expliquer...

— N'essayez pas ! dit doucement John.

Gerry le remercia avec une ombre de sourire, et continua :

— La vie n'a pas été drôle pour moi après ces... histoires. Mais je m'étais conduit comme un imbécile, je n'avais qu'à payer. Seulement voilà que cela recommence ici ! Vous vous doutez bien que la petite découverte d'hier va rapidement traverser l'Océan. D'ici huit jours, tout New York sera au courant !

— Si je comprends bien, vous avez surtout peur de ce qui vous attend là-bas !

— Je n'ai peur de rien ! répondit fièrement Gerry. Je ferais face à n'importe quel scandale... si j'étais seul. Mais il y a une jeune fille...

Mannering comprit subitement l'affolement de Gerry : s'il y avait une jeune fille !

— Je vois... Vous n'avez qu'une chose à faire, mon vieux : vous accrocher à la vérité, et n'en pas démordre. Vous vous en sortirez.

Gerry approuva sans grande conviction :

— Je peux toujours essayer. D'ailleurs... je n'ai pas le choix. Mais il y quelque chose que je n'arrive pas à comprendre, et que je ne pourrai jamais expliquer : c'est ce fichu collier en toc ! Il y a quand même peu de chances pour qu'il soit venu se fourrer tout seul dans ma poche !

Mannering essaya de sourire d'un air encourageant :

— A votre place, je n'y penserais plus. La police vous interrogera. Racontez-leur votre histoire telle qu'elle est, et ils vous croiront.

Long réfléchit quelques secondes. Il paraissait un peu réconforté, et répondit au sourire cordial de John.

— Je crois que vous avez raison... Je n'oublierai jamais ce que vous...

— Au contraire, je vous demande de tout oublier, et tout de suite, répondit John en riant.

Confortablement installée dans sa bergère préférée, la comtesse de Kenton ouvrit son journal du matin. Elle avait déjà très mal pris la disparition de « ses perles ». Elle se sentait le besoin d'en parler avec quelqu'un de compréhensif —

c'est-à-dire qui l'écouterait sans la contredire une seule fois — et fit sans hésiter le numéro de lady Fauntley. Celle-ci était sortie, mais Lorna lui répondit.

— Je ne comprends pas pourquoi vous vous faites un tel souci ! C'est Patricia qu'on a volée, pas vous...

Mais lady Kenton n'entendait pas être privée de son sujet de doléances :

— Lorna, pourquoi ne venez-vous pas me voir ? Cette histoire me rend malade !

— J'arrive, dit Lorna.

— Vous êtes un trésor.

L'œil sombre, les traits tirés, le « trésor » se mit à réfléchir, puis décida de prendre le sentier de la guerre. Une demi-heure plus tard, vêtue d'un adorable tailleur gris, un soupçon de chapeau jaune citron perché sur ses beaux cheveux noirs — la tenue idéale pour inspirer confiance à lady Kenton, qui avait en horreur les femmes qui osent sortir sans chapeau — plus jolie que jamais, Lorna partit chez la douairière.

Elle trouva celle-ci dans un état voisin de la désolation.

— C'est un affront personnel, vous le comprenez bien... Je suis certaine que c'est à moi qu'on en voulait. Pourquoi n'a-t-on pas pris les diamants ou les saphirs. Maintenant, j'ai l'air de ne plus avoir fait de cadeau, voilà tout.

Lorna essaya, mais en vain, de faire entendre raison à la vieille dame.

— Et puis, je savais bien que cet imbécile de policier n'était bon à rien. Je l'ai assez dit. Cette fois il a dépassé les bornes de la sottise.

— Pauvre homme ! Il doit être plus ennuyé que vous !

— Ennuyé ! J'espère bien qu'il est ennuyé ! En tout cas, s'il ne l'est pas encore, je vais faire le nécessaire pour qu'il le soit au plus tôt, menaça lady Kenton, qui avait le bras long, et connaissait des politiciens influents. D'abord, je vais aller le voir et lui dire ma façon de penser.

A ce moment précis, comme dans une pièce aux ficelles trop bien réglées, la femme de chambre de Sa Seigneurie annonça :

— L'inspecteur Bristow.

Pensant à la réception qui attendait le pauvre inspecteur, Lorna dissimula de son mieux un sourire amusé. Pendant une seconde, elle oublia qu'elle était venue chez lady Kenton dans un but précis, et pour obtenir d'elle quelque chose dont elle avait un besoin désespéré.

Le sourcil courroucé, la douairière attaqua aussitôt :

— Pourquoi ne m'avez-vous pas prévenue, Inspecteur ?

— Prévenue ? De quoi ? Vous voulez probablement parler du vol des perles, Milady ?

— Evidemment ! De quoi d'autre voulez-vous qu'il s'agisse ! Il est inadmissible que vous ne m'ayez pas informée...

— J'ai cru comprendre que ce collier était un cadeau que vous aviez fait à la jeune Mrs. Wagnall, Milady. C'est donc maintenant la propriété de cette personne, et je ne vois pas pourquoi je serais venu inquiéter Votre Seigneurie...

Lorna applaudit mentalement, et lady Kenton resta décontenancée, sachant fort bien que Bristow avait raison. Mais elle n'aimait pas rendre les armes aussi vite.

— Il me semble que le premier imbécile venu comprendrait pourquoi je m'intéresse à l'affaire, remarqua-t-elle froidement.

Bristow ignora l'épithète peu flatteuse et saisit la perche que lui tendait, sans le vouloir, la comtesse.

— C'est bien pourquoi je me suis permis de venir vous déranger, Milady. Vous pouvez m'être d'un grand secours. Il est possible, en effet, que le vol se soit produit pendant que vous vous trouviez dans la pièce. Et j'aimerais vous poser quelques questions...

— Des questions ?

L'irascible douairière haussa le sourcil.

— Vos réponses me seraient précieuses, insista poliment Bristow. Qu'est-il arrivé exactement lorsque vous êtes tombée ?

— J'ai glissé, aboya Sa Seigneurie.

— Mais avant de glisser, vous avez dû heurter quelque chose ?

— Parfaitement. J'ai buté contre un des pieds de la table, je m'en souviens maintenant.

— C'est en effet ce que j'avais cru comprendre. Mais il se trouve que c'est impossible, Milady. La table n'a pas de pied... ou plutôt, rectifia-t-il devant l'air étonné des deux femmes, elle n'en a qu'un, c'est un grand guéridon Restauration ; nous l'avons bien examiné : il est impossible que vous ayez rencontré son pied !

Lady Kenton trouva parfaitement déplacé qu'un policier sache reconnaître un guéridon Restauration. D'un ton revêche, elle suggéra :

— Alors, c'était le tapis !

— Il n'y avait pas de tapis, Milady.

— Est-ce que vous oseriez insinuer que je mens ?

— Pas le moins du monde, affirma Bristow avec une rapidité convaincante. Vous avez peut-être glissé sur le parquet trop bien ciré... Mais vous vous souvenez que votre pied a heurté quelque chose ; et pourtant, ce ne pouvait être ni le tapis ni le pied de la table...

— Alors c'était le pied de John Mannering ou de Gerry Long. Je ne vois vraiment pas l'importance que cela peut avoir, Inspecteur. Allez-vous continuer encore longtemps à me poser des questions aussi insignifiantes ?

Bristow saisit l'occasion au vol, et prit congé. Il n'avait vraiment pas besoin de se compliquer la vie en ce moment, et il ne savait que trop bien qu'un ou deux coups de téléphone de Sa Seigneurie risquaient de tout envenimer.

Une fois dans la rue, il se trouva plus perplexe que jamais. Lady Kenton protégeait peut-être quelqu'un ? Le Baron était assez malin pour se servir d'elle comme d'un paravent, un paravent de taille ! Soudain il se mit à parler tout haut, au grand intérêt des passants qui l'entendirent proférer d'une voix décidée :

— Je l'aurai ! A n'importe quel prix, mais je l'aurai !

— J'ai bien envie, siffla la douairière quand la porte se fut refermée sur l'infortuné Bristow, de téléphoner à Nigel... non, à Andrew... ou plutôt à Peter... Il va se faire rappeler à l'ordre, cet insolent ! Oser me poser des questions, à moi ! Il voulait me faire avouer quelque chose... Je ne vois pas très bien quoi, par exemple ! Il avait déjà été très désagréable quand il a mené son enquête au sujet de ma broche d'émeraudes. Il me déplaît beaucoup.

Lorna, inquiète, se dit que l'histoire de la broche allait encore revenir sur le tapis. Sa patience commençait à s'émousser. Mais heureusement, la douairière était fatiguée. Elle fit apporter du café et bavarda avec la jeune fille. Soudain, elle se souvint que Lorna faisait de la peinture, et lui demanda des nouvelles de son travail. C'était là le sujet que voulait aborder Lorna depuis qu'elle était entrée dans la chambre de la comtesse !

— Je ne vends pas beaucoup, en ce moment ! répondit-elle d'un air désolé.

— Vendre ? Vous n'allez pas me dire que vous avez besoin de vendre, vous ? Je croyais que vous faisiez cela pour vous distraire...

— Mais pas du tout ! Je vends ma peinture. Je suis une artiste, pas un amateur ! C'est une sorte de test, vous comprenez. Si ma peinture vaut quelque chose, elle doit se vendre. Ce n'est pas l'argent qui compte, bien sûr...

— Mais si, il compte, Lorna ! Demandez à votre père, tenez, si l'argent ne compte pas !

Lorna trouva la force d'éclater de rire :

— Oh ! Je sais ! Il y a six mois, j'ai refusé de vendre un portrait. Il me le reproche encore aujourd'hui !

— Et pourquoi avez-vous refusé de le vendre ?

— J'ai trouvé qu'on ne m'en offrait pas assez ; il vaut au moins 800 livres, et on ne m'en donnait que 500.

— Quand vous aurez mon âge, vous saurez

qu'il ne faut jamais refuser d'argent, ma chérie. Parlez-moi de ce portrait. D'abord, qui est-ce ?

Lorna sourit. Elle avait atteint son but. Lady Kenton était incapable de résister à l'idée qu'elle allait faire « une affaire ». Ce soir, le portrait lui appartiendrait... Et Lorna aurait gagné 600 livres. 600 livres dont elle avait le plus urgent besoin !

11

Mannering regrettait presque d'avoir fait la connaissance de Bristow : il lui aurait été facile de frapper un ennemi inconnu. Pour soulager sa conscience, il décida de lui faire une petite visite, et apprit que Lynch s'occuperait dorénavant de l'affaire avec Bristow, ce qui faciliterait considérablement le travail de l'inspecteur.

Puis John alla voir Gerry Long, qui se remettait peu à peu de ses émotions.

— Je sais que c'est idiot, mais je me tourmente malgré tout !

— Bah ! Personne n'y pense déjà plus ! Faites comme tout le monde !

— Je ne sais pas comment vous remercier, Mannering !

— Qui sait... Vous pourrez peut-être me rendre la pareille bientôt ! dit légèrement John.

Après quoi, il passa à des occupations plus sérieuses. Il se rendit à son appartement, prit les perles — est-ce que ce sont les perles de Patricia ou les perles de lady Kenton ? se demanda-t-il ironiquement — les glissa dans sa poche et sauta dans un taxi qui le conduisit à High Street, où il entra chez un coiffeur. Un petit homme chauve et jovial le fit aussitôt passer dans l'arrière-boutique :

— Bonjour, Mr. Mayle...

Le petit coiffeur connaissait son client sous ce nom et n'aurait, sous aucun prétexte, cherché à en savoir davantage. Il débarrassa rapidement John de son veston, lui passa un grand peignoir et demanda simplement :

— La même chose que la dernière fois, Mr. Mayle ?

Mannering acquiesça avec un sourire, puis il se confia aux mains expertes de Harry Pearce. Le coiffeur ne se contentait pas de couper les cheveux à d'inoffensifs clients du quartier, et son adresse avait été fournie à John par le prévoyant Flick Leverson. Harry pouvait vendre, ou appliquer, les maquillages les plus divers. Par surcroît, il était toujours de bon conseil, et ne posait pas de questions gênantes. Il connaissait Mannering sous le seul nom de Mr. Mayle, et lui avait fourni les tampons en caoutchouc et les fausses dents qui le transformaient en marin à la mine peu rassurante. Mannering s'était habitué à son déguisement, et se sentait maintenant agréablement en sûreté lorsqu'il allait voir Dick Grayson.

Vers le milieu de l'après midi, John atteignit les entrepôts où se trouvait le bureau de Grayson. Le petit homme blond et rose était devenu beaucoup plus amical. Il savait que son mystérieux visiteur lui apportait toujours de l'excellente marchandise, et ne lui faisait pas perdre son temps en discussions oiseuses. Très contents l'un de l'autre, ils s'appréciaient mutuellement.

Comme d'habitude, John se contenta de répon-

dre au bonjour cordial de Grayson par un grognement maussade. Les leçons de Herr Seltzer
portaient leurs fruits, et chaque fois qu'il était
dans ce bureau, il s'exprimait sans le moindre
effort, comme un vieux marin.

Puis il fouilla dans sa poche, en sortit sa pochette en matière plastique, la retourna... et le
collier de perles roula sur le bureau de Grayson,
trop abasourdi pour faire un mouvement. De sa
grosse voix, le petit homme murmura :

— Où avez-vous pris cela ? Les perles de la petite Overndon !

Mannering joua superbement son rôle, et n'eut
aucun mal à se comporter comme n'importe
quel marin susceptible. D'un bond il se précipita vers le bureau et reprit les perles : roulant
des yeux furieux, il grogna :

— Bouclez-la ! Elles viennent d'où elles viennent, et cela ne vous regarde pas ! Si vous essayez
de me posséder, je...

Et la lourde main gantée se leva, menaçante.

Grayson savait qu'il avait violé une loi tacite
respectée par tous les receleurs :

— Mes excuses ! Cela m'a échappé. Mais j'ai
été tellement surpris... On a beaucoup parlé de...
cet objet...

— C'est possible. Je m'en moque. Donnez-moi
votre prix, et vite !

— Vous savez que c'est de la marchandise dangereuse, cela !

— Vous pouvez les maquiller en attendant
qu'on les oublie un peu. C'est votre métier.

— Vous pourriez le faire aussi bien que moi !
remarqua suavement Grayson.

Mannering avait appris à manier le petit receleur. Il étendit la main et les perles étincelèrent.

— Bien sûr. Je pourrais surtout trouver un autre type pour les fourguer...

Grayson eut un geste rapide vers le collier :

— Ne vous fâchez pas, mon vieux ! Je voulais seulement vous rappeler que j'ai de gros risques. 1 000 livres.

Mannering connaissait la chanson par cœur :

— 6 000 livres.

— Je ne suis pas millionnaire ! Bah, nous nous connaissons trop pour jouer au plus malin. 3 000, dernier mot.

— D'accord ! Mais je veux des petites coupures.

— Je vais les chercher.

Et Grayson disparut aussitôt.

John déposa les perles sur le bureau du receleur, puis alla vers la fenêtre. Ici, il était habitué à attendre, et le spectacle bruyant et animé qui s'offrait à ses yeux le distrayait toujours. La rivière sale et boueuse, les bateaux, les débardeurs affairés, le va-et-vient des grues, tout cela l'occupa un moment. Mais soudain, il tressaillit. Son regard fut attiré vers la droite de la fenêtre, et au frisson qui le parcourut, il devina que c'était une fois de plus le danger qui arrivait là...

Grayson traversait le quai, se dirigeant vers son entrepôt. Mais derrière Grayson, un homme marchait, le suivant discrètement. Le cœur de John s'arrêta de battre. Cet homme, vêtu d'un complet sombre et coiffé d'un melon des plus anonymes, c'était le sergent Tring, Poids-Lourd pour les intimes.

Le sergent n'était pas seul : trois hommes en

134

civil, aussi costauds que lui, marchaient à ses côtés.

Mannering se demanda si Grayson savait qu'il était suivi. Le visage du receleur était, comme toujours, placide et souriant, mais il était capable de duper son monde ! Pour se rassurer, John pensa que la police venait interroger Grayson... Quoi de plus naturel ? Il suffisait d'une arrestation ou d'une indiscrétion pour qu'un receleur soit trahi, et se voit obligé de répondre à des questions souvent embarrassantes !

Soudain, la porte s'ouvrit, et Grayson entra. A l'expression de son visage, John comprit qu'il était au courant. Il claqua la porte derrière lui.

— Quittez cette fenêtre, vite !

Mannering obéit. Avec une rapidité surprenante chez un homme aussi rondelet, Grayson avait saisi le collier de perles dans la main gauche ; puis, de son pouce droit, il appuya sur son bureau, sur ce qui parut être à Mannering un petit nœud dans le bois. La surface bien cirée du plateau se fendit révélant une minuscule cachette. Grayson y glissa les perles, et la table se referma. Il était impossible de distinguer quoi que se soit dans le bois sombre.

Puis Grayson se précipita à l'autre bout de la pièce, ouvrit un petit coffre-fort et y jeta les coupures qu'il rapportait de la banque. Enfin, il se retourna vers John et lui ordonna :

— Asseyez-vous ! Vite ! Vous êtes venu me demander du travail. Compris ?

D'un geste, John approuva, et s'assit d'un air gauche, tandis que Grayson reprenait sa place derrière son bureau. John n'avait jamais vu un homme agir aussi vite et avec une telle sûreté de gestes.

— Il y a longtemps que tu attends, mon garçon ? rugit Grayson de sa voix léonine. Pas la peine, je n'ai rien pour toi en ce moment, mais...

Il s'interrompit. Sans se donner la peine de frapper, le sergent Tring entrait, mains dans les poches, le sourire aux lèvres.

— Qui est-ce qui...

L'étonnement de Grayson était admirablement joué.

— Vous me décevez, Grayson, dit Tring d'un air jovial.

Grayson fit mine de le dévisager. Puis il sourit cordialement.

— Mais c'est le sergent Tring ! Il me semblait bien vous avoir déjà vu !

— Tu parles ! répondit élégamment Poids-Lourd.

Puis, très à l'aise, il s'assit sur un coin du bureau, à moins d'un mètre de John, et considéra le marin avec intérêt. John, était sur des charbons ardents : il savait qu'il suffirait d'un rien pour se trahir, et craignait que Tring ne reconnaisse ses yeux, impossibles à déguiser. C'était là le point dangereux.

Le policier lui fit un sourire aimable :

— Qu'est-ce que vous faites ici, vous ?

En excellent élève de Mr. Seltzer qu'il était, John poussa un grognement agressif :

— Cela vous regarde ?

Ses yeux rencontrèrent ceux du sergent, mais Poids-Lourd ne parut rien remarquer. Il sourit d'un air pacifique :

— Ne vous fâchez pas, mon vieux. Moi, c'est mon métier de poser des questions.

Il se retourna vers Grayson :

— Je suis désolé, Grayson, je voudrais bien jeter un coup d'œil chez vous.

— Un coup d'œil ? Je ne comprends pas...

— Personne ne comprend jamais ce que je dis, remarqua tristement Tring. Pourtant, cela me semble très clair, à moi : jeter un coup d'œil.

Grayson fit mine de se contenir difficilement :

— Je ne pense tout de même pas que cela signifie... perquisitionner ?

Tring lui lança un regard admiratif :

— Le joli mot ! Figurez-vous que quelqu'un nous a raconté que vous pourriez bien être un fourgue... Quelle sottise, croyez-vous ! Vous ne savez peut-être même pas ce que cela signifie ! Je vais vous l'expliquer : un fourgue, c'est un receleur, un monsieur très honorable qui entrepose des marchandises volées et...

— Cesser de dire des sottises, Tring ! Si vous avez quelque chose à me reprocher, allez-y carrément.

— Je vous l'ai dit : je voudrais jeter un coup d'œil chez vous.

— Et moi je vous ai demandé si vous vouliez perquisitionner ! Vous avez un mandat ?

Le visage de Poids-Lourd s'épanouit :

— Vous ne pensez tout de même pas que je vais m'amenez chez vous sans mandat ?

— Montrez-le !

Tring sortit de sa poche un papier qu'il étala devant Grayson. Celui-ci leva les sourcils d'un air indigné.

— Bon ! Vous êtes en règle. Mais vous aurez de mes nouvelles !

Sans daigner répondre, Tring frappa dans ses

mains, la porte s'ouvrit aussitôt et deux policiers entrèrent. Sur l'ordre du sergent, la perquisition commença. Le travail fut rondement mené, mais ils ne trouvèrent rien.

— Il nous reste le coffre-fort. Vous voulez bien l'ouvrir ?

— Il n'est pas fermé, je viens de m'en servir.

— J'aimerais bien savoir pourquoi, murmura songeusement Poids-Lourd.

Il alla vers le coffre, et prit les trois liasses de billets : 3 000 livres. Puis il revint les étaler sur le bureau, et se rassit, à moins de 20 centimètres de la cachette où Grayson avait enfoui les perles. Au plus petit mouvement, le sergent pouvait appuyer sur le nœud fatal, et la cachette s'ouvrirait ! Mannering préféra ne pas penser à la tête que ferait Poids-Lourd s'il apercevait sous son nez les perles de la comtesse douairière... Pour se donner une contenance, il chercha une attitude : la plus logique consitait à regarder avec convoitise l'impressionnant paquet de billets jetés sur le bureau. John jouait si bien son jeu que Poids-Lourd se mit à rire :

— Joli magot, n'est-ce pas ? Mais il vaut mieux ne pas avoir trop envie de ce qui ne vous appartient pas, matelot, ajouta-t-il vertueusement.

Puis il regrada Grayson d'un air moins aimable.

— Vous avez beaucoup d'argent, dans votre coffre...

Grayson continuait à se comporter avec un sang-froid magnifique, et personne n'aurait pu deviner l'angoisse que lui causait la présence de Tring, assis sur ce bureau, risquant à tout moment d'appuyer sur le bouton fatidique !

— Je pourrais vous faire un chèque dix fois plus

138

important, Sergent. Il me resterait quand même un gentil petit compte en banque ! C'est la paie de mes employés, puisque vous voulez le savoir.

— Vous les payez bien !

— Ça, c'est mon affaire... D'ailleurs, c'est la paie du mois.

— On ne paie pas les dockers au mois, remarqua innocemment Tring.

— Mais les dockers ne font pas non plus marcher les bateaux, aboya Grayson.

Pour la première fois, Tring parut décontenancé :

— Vous avez des bateaux ?

— Trois ! Si vous faisiez mieux votre métier, vous le sauriez.

Sans insister Poids-Lourd tendit les billets à un de ses acolytes :

— Remets-ça dans le coffre...

En même temps, il remua, et le coin de son veston frôla le petit nœud dans le bois. Avec effort, Mannering quitta des yeux ce point brûlant. Puis il retint son souffle : Tring s'était enfin levé, et semblait abandonner le bureau. Mais le soulagement de John fut de courte durée :

— Maintenant, je vais être obligé de vous fouiller, Grayson, vous et votre visiteur.

John reprit son rôle. Un marin irascible se devait de protester :

— Vous pouvez toujours courir ! Vous n'avez pas de mandat qui vous permette de me fouiller ! Et puis je n'aime pas qu'on me tripote, moi !

Tring le regarda sans se fâcher :

— J'ai un mandat pour fouiller ce bureau, et vous êtes dans ce bureau, non ? A votre place, je resterais bien sage... A moins que vous ne préfériez venir vous calmer au poste ?

John se rembrunit, et ferma les yeux le plus possible, craignant toujours que son regard paraisse familier au sergent.

— Il vaut mieux te laisser faire, remarqua doucement Grayson.

Haussant les épaules, John eut un geste résigné. Pour la première fois de sa vie, on le fouilla. Les secondes lui parurent des heures. Mais il n'avait rien dans ses poches qui puisse trahir sa véritable identité. Le seul objet qui retint l'attention de Tring fut la pochette de nylon... Avec un sourire narquois, John pensa qu'une heure auparavant, le sergent l'aurait trouvée bien plus intéressante !

— Qu'est-ce que vous trimbalez là-dedans ? demanda Poids-Lourd.

— Ma brosse à dents, répondit insolemment John, et d'une grimace ironique, il découvrit ses affreuses dents en caoutchouc.

La pochette alla rejoindre sur le bureau une douzaine de babioles soigneusement choisies par John suivant un conseil judicieux de Flick Leverson : quand vous prétendez être Dupont, ne vous promenez pas avec des papiers de Durand !

Ainsi que John s'y attendait, Grayson n'avait rien de compromettant sur lui. Tring haussa joyeusement les épaules, toujours optimiste quand il tombait sur un bec !

— Et maintenant, demanda Grayson toujours calme c'est fini, oui ?

— Mais oui !

— Eh bien, laissez-moi vous donner un conseil, sergent. La prochaine fois, changez de méthode.

Si vous faites encore irruption dans mon bureau sans frapper, en oubliant de m'appeler Monsieur, et en insultant mes visiteurs, je vous ferai casser. Tout simplement ! Il y a une limite à tout, même pour la police.

Le malheureux Poids-Lourd ne put s'empêcher de rougir jusqu'aux oreilles :

— Compris. Ne craignez rien, je n'oublierai jamais ce petit discours !

Et sur cette menace, il sortit du bureau, emmenant ses deux acolytes. Dès que la porte fut refermée, Grayson posa un doigt sur ses lèvres, puis il se mit à rugir :

— C'est la première fois de ma vie que l'on m'insulte comme cela ! Ce grand paltoquet de Tring ! Je vais lui faire regretter cette visite !

— Je lui aurais bien cassé la gueule, moi, grogna John, entrant dans le jeu. Espèce de sale flic...

La porte s'ouvrit brusquement. Le sergent Tring apparut, un sourire légèrement contraint sur les lèvres :

— J'ai oublié mon carnet sur le bureau, je crois. Merci ! Au revoir.

La porte se referma sur lui, et Grayson jura énergiquement. Mannering, se levant, alla regarder par la fenêtre. Il vit les détectives traverser la cour de l'entrepôt, puis sortir... Alors seulement il se retourna :

— Il a fait chaud, vous ne trouvez pas ?

Grayson eut un petit rire ironique :

— Ils se croient tous très malins, mais il y a quand même quelques petites choses qu'ils ne savent pas, et qu'ils ne sauront jamais ! Dire qu'il était assis sur ce bureau, et qu'il n'a pas même pensé à effleurer le bois pour voir s'il n'y avait pas quelque bouton dissimulé par là ! Enfin, nous nous en sommes débarrassés ! Vous ferez aussi bien de ne pas emporter cet argent sur vous. Je vous l'envoie ce soir par la poste. A quel nom ?

John hésita. Mais il avait confiance en Grayson maintenant. C'était bien un « salaud régulier » comme l'avait affirmé Leverson !

— John Mayle. Poste restante. Strand.

Grayson prit note de l'adresse, et ils se quittèrent pleins d'une admiration réciproque pour leur sang-froid et leur talent de comédiens.

12

Le lendemain après-midi, John, installé devant
une petite table de son studio, Brook Street,
faisait ses comptes. Pour le Baron comme pour
le commun des mortels, c'était là une occupation
fort déprimante. Le compte en banque de John
était bas. Il lui fallait bien 10 000 livres par an
pour vivre, car ses relations du moment ne plai-
santaient pas sur les apparences. John allait donc
être obligé d'augmenter ses « revenus ». Jusqu'ici,
les diamants Rosas exceptés il ne s'était jamais
attaqué à du très gros butin. Or, ces fameux diamants, il ne pouvait pas les vendre, et cette pensée le faisait enrager. Il connaissait assez Septimus Lee pour se méfier. Même s'il arrivait à trouver un receleur capable de lui aligner 15 000 livres
sans discuter, chose fort improbable, le vieux
financier, qui surveillait férocement le marché
clandestin des bijoux, verrait vite reparaître les
diamants, et remonterait facilement à leur source.

Heureusement, le collier de Patricia — ou de
Lady Kenton, la question n'était toujours pas ré-
solue dans l'esprit de John — allait le remettre à
flot. Pour l'instant, il avait étalé devant lui les
3 000 livres, envoyées par l'honnête Grayson, et

se disposait à en faire trois paquets qu'il irait porter dans ses trois banques différentes.

Soudain, il se redressa. La porte de son appartement venait de s'ouvrir sans le moindre bruit. Mannering, assis dans le studio, pouvait l'apercevoir sans peine. Elle s'entrebâilla de plus en plus largement. John jeta un regard devant lui, sur la table couverte de billets. Il ne pouvait rien faire, qu'attendre... une seconde, deux secondes, une éternité.

Puis il reconnut son mystérieux visiteur, et éclata de rire : Lorna se tenait sur le seuil, ravissante, l'air amusé, mais très étonnée :

— On ne peut pas dire qu'on soit reçu par des ovations, chez vous ! En voilà une façon d'accueillir ses visiteurs ! dit-elle faussement vexée.

— Et en voilà une façon de rendre visite à des messieurs seuls !

— La porte était ouverte, alors je suis entrée... Si vous voulez cacher de coupables secrets, vous feriez mieux de fermer d'abord votre porte à clef !

— J'ai un coupable secret... en effet. Mais je vais vous en faire cadeau. Libre à vous de ne pas me croire. Jamais aucune femme n'est entrée ici...

Levant un sourcil étonné, Lorna murmura :

— Pourquoi ne vous croirais-je pas ?

Il la regarda attentivement. Elle avait les traits tirés, et sous son maquillage discret, paraissait très pâle. Elle répondit à cette inspection par un sourire légèrement contraint. Puis, avec cette déconcertante habitude qu'elle avait de dire tout à trac ce qui lui passait par la tête, elle jeta :

— J'ai une tête impossible, n'est-ce pas ?

John éclata de rire :

— Ma foi, on dirait que la peinture vous a un peu trop accaparée. Pourquoi travaillez-vous autant ? Rien ne vous y oblige ?

Avec un rire amer, elle répondit :

— Mais si, quelque chose m'y oblige ! Il le faut !

Et d'un geste gracieux, elle alla s'asseoir dans un fauteuil près de John.

— Il le faut, quelle réponse ! Pourquoi ?

— Pourquoi les gens travaillent-ils d'habitude ?

Et soudain, Mannering, ahuri et bouleversé, vit ses yeux se remplir de larmes. Elle enfouit aussitôt son visage dans ses longues mains.

— Lorna...

Il se précipita vers elle et la saisit doucement aux épaules. Silencieuse, elle abaissa ses mains, et leva vers lui un visage ruisselant de larmes.

— Si je peux faire quoi que ce soit, Lorna, dites-le moi. Sans explication. Dites-le moi tout simplement !

Elle posa ses mains sur celles de John et les serra légèrement. Puis elle se dégagea avec un sourire courageux.

— Je me suis conduite comme une imbécile. J'espère que vous allez oublier cette exhibition ridicule, John !

— Ça, n'y comptez pas, ma chère ! Je ne dormirai pas tranquille aussi longtemps que je ne saurai pas ce qui vous préoccupe. Et je suis têtu ! A votre place, je le dirais tout de suite...

Lorna parut se résigner ; elle haussa les épaules d'un air las et malheureux qui bouleversa John.

— C'est une vieille histoire ! Enfin, je veux

dire que c'est une histoire classique. J'ai besoin d'argent. Terriblement besoin.

Elle prononça ces mots du bout des lèvres comme si elle récitait un rôle. Puis elle détourna son regard de John et fixa le mur avec obstination.

John se sentait décontenancé. Il avait mal compris. Ou alors c'était une plaisanterie ! Lorna Fauntley, dont le père possédait la troisième fortune d'Angleterre, avait besoin d'argent ! Il se retint de rire. Lorna n'avait pas du tout l'air de plaisanter. D'un ton indifférent, il lui demanda :

— De combien avez-vous besoin ?

Soudain Lorna parut revivre. Son expression absente disparut, et elle éclata de rire.

— C'est la question que j'attendais ! Cher John !

Elle lui sourit, une lueur d'ironie dans les yeux.

— C'est la seule question intelligente, voilà pourquoi je la pose !

Lorna lui fit une petite grimace admirative, puis redevint sérieuse. D'un ton détaché, elle déclara :

— Vous ne saurez jamais à quel point je puis me mépriser, John. Je n'aurais jamais dû vous dire une chose pareille. Seulement, elle n'est que trop vraie. J'ai un horrible besoin d'argent. De 2 400 livres exactement.

Elle s'arrêta, épuisée par cet effort. John réfléchissait rapidement. Un fait était certain : il fallait 2 400 livres à Lorna. Il résista à l'envie de lui poser deux questions : pourquoi en avait-elle besoin et pourquoi ne les demandait-elle pas à son père. Il comprit que les deux questions se répondaient l'une à l'autre ! Elle ne pouvait pas demander d'argent à son père parce qu'elle ne pouvait pas lui avouer pourquoi elle en avait besoin. Et elle en avait besoin parce qu'on la faisait chanter. Tout s'éclairait : son attitude effrayée, inquiète, résignée à la fois, et pourtant pleine de défi. Ses brusques joies et ses brusques tristesses. Lorna avait un secret, que seul connaissait un maître-chanteur ! Quel pouvait bien être ce secret ?

— Ce n'est pas terrible, 2 400 livres ! Je croyais que vous alliez me parler de centaines de mille... Quand vous les faut-il ?

Il réussit à la duper. Elle sourit.

— Tout de suite, dit-elle d'un air dégagé.

— Vous ne pouviez pas mieux tomber ! Servez-vous.

Et d'un geste large, John lui montra les billets étalés sur la petite table. Interdite, elle le dévisagea deux secondes, puis haussa les épaules :

— Assez de plaisanteries, John. Vous vous doutez bien que je n'ai pas besoin d'argent ! Avec tout cela, j'ai oublié que j'étais venue vous inviter à dîner ce soir !

John saisit entre ses doigts les frêles poignets de la jeune fille, et murmura d'une voix tendre :

— Vous êtes bien courageuse, mais pas du tout convaincante, ma pauvre chérie ! Vous feriez mieux d'être honnête, avec vous et avec moi. Dites-vous bien qu'aussi longtemps que je pourrai quelque chose pour vous, j'attendrai que vous acceptiez mon... appui. Le mot vous convient ?

Avec un petit sanglot, elle s'abattit contre lui. Sous l'étoffe légère, il sentait trembler son corps. Il passa un bras rassurant autour des minces épaules. De sa main droite, il caressa les cheveux noirs, brillants et soyeux. Elle sanglotait sans fausse honte, maintenant, et il resta immobile, silencieux, écoutant ce bruit qui lui déchirait le cœur.

Lorna partie, Mannering alluma une Benson, se renversa dans un fauteuil, et examina le plafond. Sur la petite table, il ne restait plus que 600 livres. Lorna avait emporté le reste, rapidement, comme si elle les avait volées, ou que John dut les lui reprendre ! Il décida de ne plus penser à cela : Lorna avait un secret. Elle le lui révélerait un jour si elle le voulait. Sinon, il n'avait pas le droit de chercher à le connaître. Il valait mieux se pencher sur des problèmes pratiques. Il lui restait 1 100 livres en banque. Ajoutées aux 600 qui s'étalaient devant lui, cela ne faisait pas de quoi vivre très longtemps. Deux mois, peut-être ? Il lui fallait donc laisser le Baron remplir les coffres de John Mannering ! Il se redressa, et prit son agenda, qu'il feuilleta d'un œil attentif :

— Rien d'intéressant en vue, marmonna-t-il... Un très grand dîner chez lord Fauntley. Mais ça, c'est tabou ! Pauvre idiot, tiens ! D'ailleurs tabou ou pas, Lorna m'a dit qu'il y aurait au moins trois gardiens ce soir-là. Donc pas question. Reste le bal des Ramon...... Elle doit avoir de bien beaux bijoux, Carlotta ! Coquette comme elle est, et amoureux comme l'est ce nigaud de Carlos ! Elle a acheté un collier de rubis la semaine dernière ; et elle ne le portera pas : elle s'habille en bergère Louis XVI. Cela risque d'être un bal impressionnant : tous les bijoux de Londres vont prendre l'air. Et je suppose que la moitié des danseurs aura été recrutée à Scotland Yard, et que Bristow va m'attendre au tournant — enfin pour être exact qu'il va attendre le Baron. Chaque jolie femme sera surveillée par un policier en domino, et les douairières elles-mêmes n'oseront pas bouger ! C'est bien dangereux, tout cela.

Soudain, Mannering éclata de rire :

— Imbécile, tu ne pouvais pas y penser plus tôt ! murmura-t-il.

Et il se mit à réfléchir les sourcils froncés mais un sourire amusé aux lèvres.

13

Lorna eut un petit rire moqueur :

— Pauvre John ! alors tout ce que vous avez trouvé, c'est un costume Charles II ! Il y en a deux autres, des Charles II !

— Je ne suis pas Arlequin, rendez-moi cette justice. Il y en a au moins cinquante !

Sous le satin noir du masque, les lèvres rouges de la jeune fille eurent une moue dédaigneuse :

— Vous auriez pu faire un petit effort d'imagination !

— Quelle audace ! Et vous ? Vous croyez que c'est original, une danseuse espagnole !

— Mais je suis une danseuse de Goya, moi. Pas n'importe quelle danseuse !

Elle n'avait jamais été plus belle. D'innombrables volants de dentelle ancienne s'étalaient jusqu'au sol, et un grand châle rouge recouvrait bien mal de ravissantes épaules.

— En quoi est déguisée votre mère, demanda John.

— En marquise, répondit Lorna d'un air sombre !

Et ils éclatèrent de rire.

— Et pour imiter Cendrillon, je suppose, elle a décidé de partir tout de suite après minuit ! C'est à minuit qu'on enlève les masques, vous savez. Je verrai bien qui sont les deux autres Charles II.

Mannering se garda bien de lui dire qu'il n'avait pas besoin d'attendre minuit pour le savoir, puisque le colonel Belton et Jimmy Randall, savamment suggestionnés, avaient tous deux choisi le même costume que lui.

Le bal des Ramon battait son plein. Le grand hall du Palais des Arts étincelait de lumières. John essaya d'oublier un moment ce pourquoi il était venu et enlaça Lorna de plus près. Le temps lui parut s'arrêter. Lorna, très gaie, riait et plaisantait, et John se sentait heureux.

Mais la grosse pendule qui dominait la salle le rappela sans ménagement à la réalité. Il était 11 heures. Il abandonna Lorna à un mousquetaire resplendissant, et partit se promener parmi les masques, se dirigeant sans hâte vers un petit vestiaire qu'il avait repéré. Il se sentait en sûreté derrière son faux nez cramoisi, et son énorme cravate blanche, mais respira mieux lorsqu'il se trouva dans le vestiaire. Ouvrant un placard à demi-dissimulé dans un recoin obscur, il enleva perruque, redingote, cravate, et les y dissimula. Sous son imposant costume, il portait celui, plus anonyme et moins encombrant, d'un Arlequin svelte et multicolore. Puis il mit soigneusement son masque blanc, le masque du Baron, qui ce soir n'était plus qu'un classique masque d'Arlequin. Il passa au vestiaire, demanda son manteau, et sortit.

Dans la rue, personne ne fit attention à lui. S'éloignant rapidement, il passa dans la rue voisine, héla un taxi en maraude et se fit conduire 27, Crown Street. Le chauffeur ne perdit pas de temps, et quelques minutes plus tard, Mannering descendit. Il regarda le taxi s'éloigner. Dans la rue, peu fréquentée, régnait un profond silence. John savait, pour avoir soigneusement étudié le plan du quartier, que dans le petit jardin du n° 16 de cette rue débouchait un étroit passage qui conduisait en trente secondes à peine dans Queens Walk... la rue qu'habitaient Carlos et Carlotta Ramon ! Peu de gens étaient au courant de cette particularité. Si demain un chauffeur de taxi, en lisant son journal, voyait qu'on avait cambriolé le N° 7 de Queens Walk, il ne penserait jamais que le coupable pouvait être ce client descendu 27, Crown Street, à plus de 500 mètres de là !

Queens Walk était aussi silencieux et aussi désert que Crown Street. John se glissa dans l'ombre du porche du N° 7, et s'attaqua à la serrure qui ne lui résista pas longtemps. Il entra : pas un bruit dans le grand hall. Il se souvint du plaisir que lui avait causé son idée : puisque tout le monde attendait le Baron dans la salle du bal, il cambriolerait à son aise la maison, déserte à ce moment-là. Ramon avait donné congé à ses domestiques ce soir-là, Mannering le savait. Une seconde, la pensée que le Sud-Américain avait peut-être pris un gardien lui traversa l'esprit, mais il haussa les épaules, et se dirigea vers le grand escalier.

Il trouva sans peine la chambre de Carlotta. Un parfum trop lourd flottait dans l'air, et un aimable désordre régnait partout. John se dit que Carlotta n'était pas femme à ranger ses bijoux avec soin. Elle préférait certainement les garder à portée de la main... c'est-à-dire dans sa coiffeuse : elle passait là le plus clair de son temps.

Il ne se trompait pas. Dans un petit tiroir, il trouva une broche de diamants et un pendentif de rubis. Dans un autre, un collier de perles. Sans parler de deux poudriers incrustés de pierreries. Il fourra le tout dans la poche de son manteau. Mais si Carlotta était insouciante et négligente, Ramon l'était beaucoup moins : les pièces importantes — la parure de rubis par exemple — se trouvaient sans doute à l'abri. La petite lampe de John promena son faisceau sur les murs capitonnés de soie. Derrière un dessin de Picasso, il vit enfin une petite porte d'acier. Les leçons de Charlie Dray avaient porté leur fruit : le coffre s'ouvrit presque aussitôt, et John aperçut trois écrins. Sans perdre de temps, il les mit dans sa poche, et tourna les talons, un sourire joyeux aux lèvres.

C'est alors seulement qu'il vit l'homme, debout dans l'embrasure de la porte, le revolver au poing.

John s'arrêta interdit. Sans hâte, l'homme étendit le bras gauche, et tourna un commutateur : la pièce s'éclaira d'une lumière tamisée. Puis l'homme fit un pas vers Mannering, et celui-ci se sentit perdu...

Toute sa vie il devait se souvenir de ces quelques secondes : l'homme s'approchait d'un mouvement lent, mais décidé, ramassé sur lui-même comme s'il s'attendait à une attaque. John resta immobile, et se dit plus tard que cela, et cela seulement, l'avait sauvé. Son immobilité fit hésiter le gardien. Il s'arrêta à deux mètres environ de John et leva son arme d'un geste menaçant.

— Pas de bêtises, mon garçon ! Et d'abord, enlève-moi ce masque !

De toute son intelligence décuplée par le danger, John cherchait un moyen de salut. La voix de l'autre se fit agressive :

— Si tu n'enlèves pas ton masque, je tire.

John se souvint de sa propre expérience : il était bien difficile de tirer de sang-froid sur un homme sans défense et immobile : réunissant tout son courage, il parvint à éclater de rire, d'un grand rire sonore et joyeux. Comme il s'y attendait, l'homme fut interloqué par cette réaction inattendue. Décontenancé, il serra les doigts sur la crosse de son arme :

— Je t'ai dit d'enlever ton masque. Tu es sourd ?

John leva la main droite, et fit mine de jouer avec les cordons qui retenaient le masque blanc. En réalité, il se demandait si son poing pourrait être plus rapide que l'arme du gardien. Il tendit les muscles de ses jambes et se prépara à bondir, tout en murmurant, de la voix rauque et désagréable qu'adoptait le Baron :

— Ça va. Je suis fait ! Vous avez gagné !

Et il sauta sur l'homme de tout son élan. Le saut lui parut durer une éternité. Il enfonça son poing dans le visage de son adversaire, et entendit à la fois son cri de douleur et une détonation assourdissante. Une flamme brillante l'aveugla une seconde, et il sentit aussitôt une furieuse douleur dans son épaule droite. Mais le revolver avait glissé sur le sol, et le gardien chancelait. Le poing gauche de John revint le frapper au visage, de toutes ses forces. Puis, de ses deux poings, serrant les dents pour maîtriser sa souffrance, il martela le menton et l'estomac de son adversaire, trop ahuri pour riposter. Enfin, d'un effort désespéré, il lança son droit aussi violemment que possible dans le foie du gardien. Son épaule lui parut se déchirer, mais l'homme s'effondra comme une masse. Sans hésiter, John prit dant sa poche son pistolet à gaz et le déchargea sur le gardien. Puis d'un coup d'œil il s'assura qu'il n'avait rien laissé tomber à terre et se précipita vers la porte.

En descendant le grand escalier, il ôta son masque et le glissa dans sa poche. Une fois dans la rue, un coup d'œil à sa montre lui apprit qu'il n'avait plus que dix minutes pour regagner le Palais des Arts, se changer, et reparaître en public sous les traits augustes de Charles II. A minuit, on enlevait les masques. Son alibi ne tiendrait que s'il était présent à ce moment précis. Lorna, et une bonne dizaine de personnes, pourraient alors témoigner en toute innocence que le Baron — alias Charles II — n'avait pas quitté le Palais des Arts de la soirée.

Malgré la douleur qui lui tenaillait l'épaule, c'est presque au pas de course qu'il parcourut les rues, à peu près désertes, qui le séparaient de son but. Sa chance ne l'abandonna pas : lorsqu'il pénétra dans le Palais des Arts, par la petite entrée latérale qu'il avait déjà utilisée tout à l'heure, il ne rencontra pas âme qui vive. En quelques pas rapides, il put gagner le réduit providentiel où il avait laissé son costume. Il n'avait plus cette fois que trois minutes. Ce lui fut une véritable torture que d'enfiler la veste chamarrée du digne souverain. Dieu merci, le gros nez rouge allait dissimuler la pâleur de ses traits. Un coup d'œil à la glace le rassura : il était exactement le même homme que celui qui dansait tout à l'heure avec Lorna.

Le premier coup de minuit sonnait lorsque John frappa sur l'épaule de Lorna. Tout le monde, autour d'eux, enlevait son masque. Des exclamations de surprise fusaient. Carlotta et Carlos Ramon riaient en reconnaissant leurs invités. John se demanda si Ramon rirait tout autant dans quelque dix minutes !

— Je ne savais pas que vous vous intéressiez à ce point aux Orientales, dit Lorna d'un air vexé. Vous n'avez pratiquement pas quitté cette bayadère !

John sourit : la bayadère était la plus récente conquête de Jimmy, et c'est lui que Lorna avait dû voir... Tout allait bien.

— Que voulez-vous, il n'y a pas que les yeux gris au monde ! Les yeux noirs sont parfois...

Soudain il vit les lumières s'obscurcir, tandis que la grande salle de bal se mettait à tourner comme un manège... Il entendit une brève exclamation effrayée de Lorna, et sentit qu'elle passait son bras autour de lui.

— John, que se passe-t-il ?

Il se cramponna sans fausse honte au bras solide et amical, et serra les dents. La pièce cessa de tournoyer, les lumières parurent se rallumer. Il arriva à sourire. Il fallait à tout prix que personne ne remarque quoi que ce soit, Lorna exceptée, en qui il avait toute confiance.

— Oh ! ce doit être la chaleur ! C'est déjà passé.

Mais il vit que sur le châle écarlate de Lorna, une tache plus sombre allait s'agrandissant. Il comprit que c'était du sang, le sien, et resta immobile, fasciné. Au même instant, Lorna vit la même tache rouge sur le drap vert du costume de John. Elle pâlit, mais ne dit rien, et se pencha vers lui, cachant habilement la tache révélatrice. Devant son sang-froid, John se sentit revivre. D'un ton détaché, elle suggéra :

— Nous allons nous en aller. Maman part à minuit. Il y a une réception chez Emma. Personne ne s'étonnera. On croira que nous sommes allés danser. Allons prendre votre manteau. Moi, je n'ai que mon châle.

Mannering lui sourit avec une gratitude inexprimable. Sans elle, il était perdu !

Mais il pensa subitement qu'il faudrait lui expliquer tout cela plus tard !

Moins de vingt minutes plus tard, John, nu jusqu'à la taille, était assis sur le rebord de sa baignoire, Brook Street. Sans écouter ses protestations, Lorna l'avait accompagné, et examinait maintenant sa blessure d'un œil critique et compétent.

— Pour bien connaître une femme, il faut s'amener avec une balle dans la peau, décidément ! dit John avec un soupir ironique.

— Taisez-vous ! Vous avez de la chance. La balle n'a pas touché l'os !

— J'ai pourtant bien l'impression qu'il est cassé en douze morceaux au moins ! murmura John d'un ton lamentable.

— Il faut appeler un docteur.

— Ça, ma chère, c'est absolument exclu !

Lorna le regarda avec une expression indéchiffrable, mais ne répondit rien. Il ne se sentait pas la force de chercher une explication quelconque maintenant. Il en trouverait peut-être une demain, mais ce serait difficile !

Elle s'était à nouveau penchée sur la blessure :

— Je vois la balle sous la peau. Je pourrais essayer de l'extraire, mais vous allez passer un mauvais moment...

— Et vous aussi, ma pauvre chérie ! Non, je vais le faire moi-même !

Elle sourit gentiment :

— Idiot ! Tout ce que je vous demande, c'est de serrer les dents. Je vais essayer !

D'un geste confiant, Mannering serra les longs doigts délicats.

— Venez par ici, sous la lumière. Et installez-vous mieux !

Les trois minutes qui suivirent parurent des siècles à John, mais il se rendit compte que Lorna se débrouillait comme un chef. Retenant sa respiration, elle fouilla avec un petit canif la bosse noire qu'elle supposait être la balle. C'était bien la balle, et à fleur de peau. Sans hésiter, elle la fit sauter comme une simple écharde, et la posa sur une étagère voisine en remarquant d'un air indifférent :

— Vous ferez bien de vous débarrasser de cela...

Puis elle lui fit un magnifique pansement.

— Je me suis toujours demandé à quoi pourraient bien me servir les cours de secouriste que j'ai pris pendant la guerre ! Et maintenant, filez vous coucher. Je reste ici jusqu'à demain.

Mannering protesta vivement :

— C'est impossible ! Que diront vos parents ?

— Ce qu'ils voudront ! D'ailleurs, ils me croiront à Chelsea, dans mon atelier. C'est tout simple. Vous aurez bien un pyjama et un canapé pour moi ?

Soudain très faible et très fatigué, John se sentit à peine la force de discuter. Mais Lorna, d'un geste tendre et affectueux, prit sa main entre les siennes, et la serra :

— Je vous en prie, John, laissez-moi vous aider. Chacun son tour !

14

Vers 8 heures et demie le lendemain matin, Lorna ouvrit les yeux et s'étira. Son canapé s'était révélé, tout compte fait, assez confortable. Elle avait veillé jusqu'à l'aube, écoutant la respiration paisible de John qui dormait dans la chambre voisine. Puis elle s'était assoupie. Repoussant sa couverture, elle se précipita dans la salle de bains. Un peu d'eau fraîche lui rendit ses esprits, et elle décida de s'attaquer d'urgence au petit déjeuner.

Elle mit de l'eau sur le gaz, disposa deux tasses sur un plateau, alla prendre le lait sur le palier, puis, sur la pointe des pieds, entra dans la chambre de John. Celui-ci dormait profondément, une expression grave et un peu triste sur son beau visage. Lorna comprit qu'elle ne pourrait jamais se séparer de lui. Dieu sait pourtant si elle avait essayé de le fuir ! Réprimant une subite envie de pleurer, elle s'avança et eut une petite toux discrète. John devait avoir l'habitude de retrouver toute sa lucidité dès le premier moment du réveil, mais le tableau que lui offrait Lorna, immobile au milieu de la pièce, un sourire ironique aux lèvres, dans une robe de chambre à pois bleus et blancs qu'il connaissait bien, était trop inattendu

pour qu'il put réprimer une exclamation de surprise. Elle éclata de rire :

— Ce n'est que moi, et votre robe de chambre !

Le souvenir de la nuit précédente revint à la
mémoire de John. Il se dressa brusquement.

— Voulez-vous bien rester tranquille ! gronda
Lorna.

Il eut un sourire piteux, étendit la main gauche
vers sa table de chevet, et saisit une cigarette qu'il
alluma aussitôt.

— Quelle horrible habitude ! Fumer ainsi au
réveil !

— Oh ! j'en ai bien d'autres, confessa Mannering. Alors, vous êtes encore là, vous !

— On dirait... John, je suis bonne fille. J'aime
mieux vous prévenir loyalement que si vous pouviez vous voir dans une glace, vous tomberiez
à la renverse. Vous avez une tête de cauchemar.
Je vais vous apporter une tasse de thé. En attendant, voici un peigne !

Quand elle revint, cinq minutes plus tard, John
était bien réveillé, et but son thé avec reconnaissance.

— J'ai toujours pensé qu'une femme de chambre bien stylée rendait la vie beaucoup plus
agréable ! remarqua-t-il en rendant sa tasse.

Puis il devint grave :

— Je suppose qu'il va falloir que je vous explique...

— Non ! Vous ne m'avez pas posé de questions
l'autre jour. Je ne vous en poserai pas aujour-
d'hui. Je voudrais seulement vous dire — sa voix
trembla soudain, et ses yeux se firent implorants
— d'être prudent...

162

— J'essaierai, promit John, trop heureux de s'en tirer à si bon compte.

Mais Lorna n'aimait pas s'attendrir.

— Maintenant, je voudrais bien voir cette épaule. Après quoi, nous déjeunerons.

— Il n'en est pas question ! Vous allez rentrer chez vous. Si quelqu'un s'apercevait que...

— Je vous ai déjà dit qu'on me croira à Chelsea... Et puis, comment voulez-vous que je reparte ? En costume d'Espagnole, ou en robe de chambre. Il faut que j'attende la nuit... ou plutôt que je me fasse apporter une robe. Cessez de faire l'enfant et montrez-moi votre épaule.

La blessure était des plus rassurantes. Elle ne saignait plus, et la cicatrisation s'annonçait sans histoire. Lorna refit un pansement impeccable :

— Maintenant, attention à ne pas faire d'effort...

— Je vais me déplacer comme si j'étais un vase de Baccarat !

Soudain, John sursauta :

— Et la balle ?

— Sur l'étagère de la salle de bains.

— J'aimerais mieux m'en débarrasser. Lorna... avez-vous lu les journaux ce matin ?

Elle le regarda gravement :

— J'en ai aperçu quelques-uns sur le palier, en prenant le lait. Ce sont les vôtres ?

— Oui. Je vais les chercher.

Avec un petit sourire énigmatique, Lorna disparut. John commença à s'habiller avec des gestes malhabiles. Il décida que son nœud de cravate pourrait attendre, et passa dans le studio où il fut accueilli par une réconfortante odeur de lard grillé. Puis il alla prendre les journaux sur le seuil, distrait au passage par le ravissant visage de Lorna penché sur une poêle à frire.

Il ouvrit les journaux. Le Baron avait droit à la première page.

« Un nouvel exploit du Baron. Deux cent mille livres de bijoux disparaissent. »

Enchanté d'apprendre que son butin était aussi important, John se plongea avec intérêt dans le récit quelque peu romancé de son aventure. Un détail le rassura : le gardien se portait très bien. Souriant, il revint à la table où Lorna, aussi à l'aise que si elle habitait chez lui depuis des années, avait dressé le couvert. Elle apportait des œufs et du lard.

— Vous êtes bien certaine que vous n'êtes jamais venue ici, la nuit, en cachette, pour vous entraîner ! Je vois que vous avez trouvé tout ce qu'il vous faut !

— Et même davantage ! remarqua Lorna impitoyable. Il y avait un œuf qui allait éclore. Heureusement, les autres étaient plus engageants. Du thé ?

D'une façon lente, délibérée, John posa les journaux sur la petite table, et sans un mot se dirigea vers sa chambre. Quand il revint, Lorna lisait le récit du cambriolage. Elle leva les yeux sur lui, avec une expression indéchiffrable, mais sans hostilité. Il comprit qu'il était temps de lui apprendre la vérité, et murmura d'une voix étranglée :

— Eh bien ?

Une petite lueur d'amusement tout au fond de ses grands yeux, elle répondit le plus naturellement du monde :

— Mais il y a longtemps que je le savais, mon chéri !

164

Tout d'abord, John remarqua une seule chose : pour la première fois depuis qu'ils se connaissaient, elle l'avait appelé « mon chéri ». Mais tout de suite, la signification exacte de la phrase de Lorna lui apparut, stupéfiante ! C'était impossible : elle ne pouvait pas savoir depuis longtemps qu'il était le Baron. D'un geste machinal, il chercha une cigarette dans sa poche. Puis il reprit d'une voix dure et incrédule :

— Qu'est-ce que vous dites ? Vous essayez de me faciliter les choses ?

Le sourire de Lorna était tendre et ironique à la fois :

— Je n'en étais pas tout à fait certaine, bien sûr !

Sur le même ton, elle continua :

— Le petit déjeuner refroidit, John !

— Qu'il refroidisse !

Mannering s'avança vers Lorna et **posa** sa main sur la frêle épaule.

— Il est grand **temps** **que** nous nous expliquions, tous les **deux**...

— Dès votre première... tentative, j'avais deviné. Quand je me suis retrouvée seule, cette nuit-là, j'ai pensé que si l'homme à l'imperméable avait été le voyou qu'il paraissait être, il aurait emporté mes bijoux. Seul un ami avait pu les laisser... Je n'ai pas tellement d'amis capables de cambrioler une chambre forte, et j'ai tout de suite pensé à vous ! Rien n'empêchait que vous soyiez l'homme à l'imperméable... même taille, même stature...

— Mais le cambrioleur a **peut-être** été dérangé avant de prendre vos bijoux ?

— Non ! Il les avait touchés, puis remis en

place, mais en les rangeant autrement que papa la veille au soir... J'ai bien remarqué cela. Et puis, il y a eu l'histoire de la broche d'Emma, John : vous aviez l'air parfaitement au courant de tout ce qui s'était passé. J'avais l'impression que vous riiez dans votre barbe ! Enfin, l'autre jour, quand vous m'avez montré ces trois mille livres étalées sur votre table... C'était pour le moins étrange tout cet argent, en petites coupures, chez vous !

— J'aurais pu gagner aux courses ?

— Il n'y en avait eu ni la veille ni le jour même !

— Quel détective vous faites... C'est vous que Bristow aurait dû appeler à l'aide, murmura John, amusé malgré lui. Mais je ne vois toujours pas ce qui a pu vous faire penser que j'étais un...

Il hésita, mais il fallait bien prononcer le mot fatidique : voleur... Lorna ne lui en laissa pas le temps :

— Que vous étiez le Baron ? Oh ! rien de précis... Je n'ai pas de preuve éclatante : c'est plutôt un faisceau de coïncidences, de petits mystères. Je vous le répète, je n'étais pas absolument certaine... Même cette nuit, vous auriez pu vous faire blesser par un mari jaloux, remarqua-t-elle, moqueuse.

Pour toute réponse, John se pencha sur la main de Lorna et la porta à ses lèvres.

— John, je ne sais pas ce que vous allez penser de moi, mais je suis plus amusée qu'autre chose ! C'est trop drôle quand on pense à la tête que feraient tous ceux qui vous croient fabuleusement riche ! Même papa ne se doute de rien... ni la Douairière ! Personne autour de nous !

— Mais pourtant vous avez deviné...

Lorna leva vers lui des yeux qu'il ne lui avait jamais vus :

— Oui, mais moi je vous...

Elle se reprit, et acheva :

— Je vous connais bien, John.

Avec un petit rire embarrassé, elle dégagea sa main.

— Et mon petit déjeuner ! Vous croyez que toutes ces émotions m'ont coupé l'appétit ?

— Fichez-moi la paix avec votre petit déjeuner ! Vous avez encore quelque chose à me dire, vous voudriez me le dire. Mais vous ne pouvez pas. C'est bien cela ?

Les yeux de Lorna eurent à nouveau l'expression effrayée qu'il leur avait vue l'autre jour ! Elle entrouvrit la bouche, puis se détourna. Mannering, la saisissant par le bras, l'attira vers lui. Sa chaise tomba bruyamment, mais ils ne s'en soucièrent pas. Lorna tremblait, et son petit visage tendu était pâle comme la neige. Son expression effrayée avait fait place à un véritable affolement, et plus que jamais, elle semblait un enfant perdu... John appuya son menton contre les beaux cheveux noirs, et murmura :

— Prenez votre temps, Lorna. C'est tellement difficile à dire que cela ?

Dans un murmure imperceptible, elle avoua :

— Oui. Surtout à vous, John. Je...

A ce moment précis, le Destin, ironique et grand amateur de théâtre, sonna à la porte.

Un coup bref, mais aussi décidé qu'une détonation. Instinctivement, Lorna et John se séparèrent, et non moins instinctivement, eurent un coup d'œil rapide vers les journaux étalés sur la table.

Trop rapide, devait se dire John un quart d'heure plus tard !

On sonna encore ! Mannering, rompant le silence, ordonna :

— Je vais ouvrir. Filez dans ma chambre !

Sans un mot, Lorna se détourna et disparut. John se dirigea vers la porte d'entrée. Il avait repris son sang-froid. Quoi d'extraordinaire à ce que l'on sonne chez lui ? Un vendeur d'aspirateurs, un télégraphiste, ou simplement une erreur... Il ouvrit tout grand le battant, presque rassuré.

Devant lui, souriant et tiré à quatre épingles selon son habitude, se tenait l'inspecteur Bristow.

15

Décontenancé, paralysé par la peur, John resta interdit quelques secondes. Mais il vit que son air troublé intriguait l'inspecteur, et risquait de le trahir. Pris d'une heureuse inspiration, il se mit à éternuer violemment, puis sourit avec sa bonne humeur habituelle.

— Excusez-moi, Inspecteur ! Quelle drôle de façon de vous accueillir !

Bristow tendit sa main pour toute réponse. John fut bien obligé de la prendre, mais la douleur lui fit serrer les dents. Passant dans le studio, l'inspecteur prit la chaise que lui offrait John, accepta une cigarette, et déclara enfin, d'un air mi confus, mi souriant :

— Vous ne devinerez jamais pourquoi je viens...

— Je crois que si, dit John, en s'accoudant à la table où s'étalait le couvert du petit déjeuner — un petit déjeuner pour deux, de toute évidence. Qu'allait penser l'inspecteur ? Et, d'un geste nonchalant, il montra les journaux grand ouverts devant lui...

Bristow hocha la tête. D'une voix tranquille, John réussit à demander :

— Vous croyez que c'est encore un coup du **Baron** ?

— Sans aucun doute ! Le gardien affirme que son agresseur portait un masque, et puis... notre homme s'est servi hier soir d'un pistolet à gaz, que je connais bien. Il m'a fait respirer un jour une bonne bouffée d'éther... la seule fois, d'ailleurs, où je l'ai rencontré !

John eut un grand éclat de rire :

— Parce que vous l'avez rencontré ! Vous ne me l'aviez jamais dit ! Quel petit cachottier vous faites, Inspecteur !

— On a son amour-propre, même dans la police... et le Baron s'est bel et bien payé ma figure ce jour-là !... Mais laissons cela : je suis venu vous voir parce que j'ai besoin de votre aide. Je sors de chez le commissaire adjoint... Il n'était ni beau à voir ni agréable à entendre, je vous assure, et j'ai pensé...

Il s'arrêta brusquement, et son visage se rembrunit.

— Ça y est ! pensa John, il a vu le second couvert, et il se doute que je suis avec une femme !

— Vous avez lu toute l'histoire, bien sûr ? reprit Bristow d'une voix distraite, dévisageant John avec une expression stupéfaite et presque incrédule.

— Oui. Je crois qu'il a été surpris par un gardien. Ils ont échangé des coups de feu ?

— Plus exactement, c'est le gardien qui a tiré, et n'a pas dû manquer son but, puisque nous n'avons pas retrouvé la balle, sans doute restée dans la peau du Baron, poursuivit l'inspecteur, sans cesser de fixer un point sur la table devant lui.

Son insistance était pour le moins surprenante chez un homme aussi bien élevé, et John se sentit mal à l'aise. Oubliant sa blessure, il prit une cigarette, pour faire diversion. Mais il ne put réprimer une grimace de douleur et, d'un geste machinal, porta sa main gauche vers son épaule droite. Il s'arrêta, mais trop tard :

— Vous vous êtes cogné ? demanda Bristow d'une voix sèche.

— Oh ! un faux pas, hier soir, en dansant ; je me suis étalé comme un débutant ! C'est vexant en diable, surtout quand on danse avec une jolie femme...

— Au bal des Ramon, je suppose ? Vous êtes certain que ce n'est pas plutôt ceci qui vous a fait mal ?

— Ceci ? répéta John d'un ton bête. Il se détourna et comprit alors que ce n'était pas le second couvert qui hypnotisait l'inspecteur.

C'était, bien en évidence sur un journal, brillante, minuscule et pourtant gigantesque, la balle de revolver...

— On dirait qu'elle sort d'un Webley 32, ajouta Bristow, comme perdu dans un rêve. Laissez-moi regarder cela de plus près, Mannering...

Par la porte de la chambre à coucher, légèrement entrouverte, Lorna avait aperçu le visiteur matinal de John et reconnu l'inspecteur Bristow. Pendant quelques instants, elle s'affola. Puis elle se reprit et, s'approchant de la porte, épia les deux hommes. La situation ne semblait pas inquiétante : Bristow était amical, et John très à l'aise. Mais un changement soudain dans le ton de l'inspecteur lui fit dresser l'oreille. Il parlait maintenant d'une voix sèche et lointaine, et paraissait fasciné comme un oiseau par un serpent. Il avait

dû voir quelque chose. Son couvert peut-être ?
Mais l'inspecteur n'était pas homme à s'offusquer
d'une présence féminine dans l'appartement d'un
célibataire. Pourtant, il fixait la table devant lui.
Elle suivit son regard, et sentit son cœur s'arrêter. La voix de Bristow, froide et distante,
disait :

— On dirait qu'elle sort d'un Webley 32... Laissez-moi regarder cela de plus près, Mannering !

Elle comprit tout de suite qu'il s'agissait de la
balle. Tout à l'heure, quand John lui en avait
parlé, elle l'avait rapportée de la salle de bains,
mais, voyant les journaux, l'avait déposée sur la
table, pour commencer à lire.

Bristow se leva et, d'un geste vif, prit la balle
entre ses doigts. Au même moment, Lorna vit le
visage angoissé de John et comprit qu'il était
perdu. La police prouverait sans aucune peine
que la balle sortait du revolver du gardien, et
l'épaule blessée de John n'arrangerait rien. Les
portes de la prison se refermeraient sur Mannering... Il fallait faire quelque chose pour le sauver,
mais quoi ?

Désespérément, elle essaya de réfléchir. Elle
était prête à jurer sur toutes les Bibles du monde
que John avait passé la soirée au bal... et une
bonne dizaine de personnes pourraient le jurer
comme elle. D'après les journaux, l'agression
s'était produite à 11 heures 30. John n'aurait aucun mal à démontrer qu'il était bien loin de l'hôtel des Ramon à ce moment-là ! Seule cette maudite balle pourrait l'accuser. Sans balle, pas de
preuve !

Elle décida de passer à l'action et, un sourire
innocent aux lèvres, fit irruption dans le studio.

Mannering pâlit, et Bristow sembla dégringoler du ciel. Il avait déjà du mal à encaisser la découverte de la balle, mais la vue de Lorna Fauntley, parfaitement à son aise et revêtue d'une robe de chambre beaucoup trop grande, était plus qu'il ne pouvait en supporter. Lorna profita de son avantage, et attaqua sans hésiter.

— Par exemple ! Je ne savais pas que vous étiez là ! Comment allez-vous, Inspecteur ?

Et, très sûre d'elle, elle ajouta sur un ton des plus mondains :

— Vous prendrez bien une tasse de thé avec nous ?

Son sourire était amical et candide. Bristow se dit qu'elle ne savait sans doute rien des activités de son dangereux ami. D'ailleurs, il ne se disait pas grand'chose, et avait même oublié l'existence de la balle de revolver, qu'il tenait entre ses doigts. D'une voix machinale il répéta :

— Une tasse de thé ?

Lorna eut un petit rire amusé. Toute son attitude signifiait : « Je sais que vous êtes surprise de me trouver ici, et dans cette tenue. Mais je sais aussi que vous êtes un homme discret... »

John, éperdu d'admiration devant les talents de comédienne de la jeune fille, cherchait quel pouvait bien être son plan. Car elle devait avoir une idée de derrière la tête. Comment pouvait-il l'aider ? A tout hasard, il jeta un coup d'œil implorant à l'inspecteur, comme pour le supplier de ne pas le démasquer devant une femme qui l'aimait...

En effet, Bristow tortilla sa moustache, et sourit avec effort à Lorna.

Celle-ci avait pris une troisième tasse et sa soucoupe dans le petit buffet :

— Combien de sucres, Inspecteur ?

— Un seul, mademoiselle.

Les secondes paraissaient des heures. Lorna remplit trois tasses, relevant d'un geste faussement maladroit la manche trop large de sa robe de chambre. Puis elle tendit une tasse à l'inspecteur. Toujours trop ahuri pour réfléchir, celui-ci avança la main droite, mais se rendit aussitôt compte que pour prendre la tasse, il lui faudrait lâcher la balle. Il crut que c'était là le mouvement qu'attendait Lorna — alors qu'elle espérait en réalité le contraire ! — et retira son bras, une seconde trop tard : Lorna, avec un cri de frayeur très bien imitée, poussa d'un geste délibéré la tasse de thé contre la main de Bristow, et le liquide brûlant se répandit sur les doigts du malheureux inspecteur.

Ouvrant la main, il laissa échapper la balle...

Vive comme l'éclair, Lorna se baissa, et ramassa la tasse qui roulait sur le tapis... et la balle !

John réprima une furieuse envie de rire : Lorna était une magnifique comédienne. Confuse à souhait, elle murmurait :

— Je suis désolée, Inspecteur. J'ai peur de vous avoir brûlé... John, est-ce que dans votre pharmacie ?

Mais Bristow s'était repris :

— Pas de plaisanteries ! Cela suffit comme ça !

Plus d'un homme se serait laissé prendre à l'expression étonnée de Lorna.

— Je ne comprends pas...

— Moi, je comprends très bien. Mais cela ne va pas se passer comme ça ! Donnez-moi cette balle !

— Quelle balle ?

Elle dévisagea Bristow d'un air tranquille, attendant qu'il s'explique. John se dit qu'elle avait besoin d'un coup de main, et prit lui aussi un air surpris :

— De quelle balle voulez-vous parler, Inspecteur ?

Bristow, de toute évidence, contenait avec peine une colère jupitérienne, et se sentait tout à fait ridicule. Il se mit à rugir :

— Vous n'allez pas me prétendre qu'il n'y avait pas une balle, là, sur cette table, il y a cinq minutes ?

— Je n'ai rien remarqué.

Les yeux de John riaient, mais sa voix était tranquille.

— Et vous, Lorna ?

Lorna secoua sa crinière brune. Bristow serra les lèvres : ils savaient tous les trois que, si l'inspecteur ne retrouvait pas cette balle, il ne pourrait produire aucune preuve contre John. Or, la balle ne pouvait être que dans la main de Lorna, mais Bristow ne pouvait pas se permettre de la lui prendre de force. De plus, il n'avait pas de mandat de perquisition sur lui. Il lui faudrait donc téléphoner pour demander et un mandat et une femme pour fouiller Lorna. Ce qui laissait aux deux complices le temps de se débarrasser du minuscule et compromettant projectile.

— Ça, se dit John, c'est une situation qui me plaît ! Surtout avec Lorna à mes côtés !

— Ah ! c'est comme cela que vous le prenez ? concluait Bristow. Cela ne change rien à une chose : vous êtes le Baron, et cette jeune personne doit bien le savoir ! En tout cas, si elle ne le sait pas, je le lui apprends ! — Où est votre téléphone, Mannering ?

D'un geste, John indiqua un coin de la pièce, bien décidé à ne pas laisser l'inspecteur s'en approcher. Mais d'un geste rapide, celui-ci plongea la main dans sa poche, et en sortit un revolver. Sur un ton narquois, il remarqua :

— Je sais, c'est contraire au réglement ; dispensez-vous de me le faire remarquer ! De temps en temps, c'est assez utile, vous voyez ! J'avais emporté cette babiole la nuit dernière, au cas où je rencontrerais le Baron... Je ne me suis trompé que de quelques heures ! — Et il ajouta durement : — Allez vous mettre contre ce mur tous les deux, et vite ! Si mon revolver partait, ce serait parce que vous m'avez résisté... dans l'exercice de mes fonctions ! Et vous pourriez bien récolter une seconde balle !

John prit le bras de Lorna et l'entraîna, en murmurant d'un air détaché :

— Si cela peut lui faire plaisir... j'ai horreur de contrarier les gens, moi.

Suivant des yeux le couple qui alla s'appuyer contre le mur, Bristow décrocha le téléphone d'une main, tenant son revolver de l'autre. Puis, reposant le récepteur, il fit un numéro, pour reprendre le récepteur dès qu'il entendit une voix au bout du fil.

— Le sergent Tring, vite ! — Puis il ordonna : Tring ! Venez immédiatement Brook Street, à l'appartement de Mannering. Amenez deux hommes en civil, et une femme ! Oui, une femme. Non, je ne suis pas fou, et je vous dispense de vos commentaires. Dépêchez-vous !

Il raccrocha avec un sourire satisfait :

— Je dois vous avouer maintenant que c'est bien par hasard que j'ai découvert la vérité, Mannering. Mais vous voyez, nous finissons toujours par prendre notre homme !

John haussa les épaules, mais il savait que sa fin approchait. Il perdrait tout : son honneur, sa liberté, et Lorna. Lorna dont il ne connaîtrait pas le secret, ce trop lourd secret qu'elle allait lui confier tout à l'heure. Il ne pourrait même pas l'aider ! A cette pensée, une rage sourde l'envahit...

Très à l'aise, Bristow avait allumé une cigarette, sans lâcher son revolver :

— Je suppose que vous ne voulez pas me dire où vous avez caché la marchandise ?

— Quelle marchandise ?

— Comme vous voudrez. Au fond, je vous regretterai. A part vous, le travail était vraiment monotone, et trop sanguinaire pour moi ! Des règlements de compte entre gangsters, ou des assassinats de vieilles rentières... J'aimais mieux votre style... et votre pistolet à gaz ! Vous me manquerez, sans ironie !

Soudain, Lorna perdit son sang-froid. Interrompant Bristow, elle leva vers John des yeux affolés, et d'une voix pleine de larmes, implora :

— John, faites quelque chose. Je ne veux pas qu'ils vous prennent !

Et sans se soucier de la présence de l'inspecteur, qui, gêné, ne savait où regarder, elle se serra contre le jeune homme :

— Je ne veux pas vous perdre, John. Je vous aime !

Mannering eut un petit rire triomphant.

— Je me demandais si vous arriveriez un jour à me le dire ! Pas possible ! Vous avez entendu,

Inspecteur ? Cela devrait vous faire réfléchir : comment voulez-vous que miss Fauntley puisse aimer le Baron !

Il serra tendrement Lorna contre lui !

— Inspecteur, depuis trois secondes, je suis votre débiteur. Sans votre petite mise en scène, je crois que miss Fauntley ne m'aurait jamais rien dit ! — Je suis désolé de ne pouvoir rien faire pour vous en échange. Mais pourquoi êtes-vous allé vous mettre dans la tête une idée aussi saugrenue ? Quant à vous, Lorna, je ne comprends pas pourquoi vous vous affolez : Bristow s'est mis dans le crâne que je suis le Baron. Bien ! Encore faut-il qu'il le prouve ! Et ça, c'est une autre histoire...

Levant vers lui des yeux pleins d'admiration, Lorna lui sourit. Elle comprenait qu'il se battrait jusqu'au dernier instant.

Un moment décontenancé par la volte-face de John, l'inspecteur se reprit vite :

— Tout cela, c'est très joli. Mais quand nous aurons trouvé les bijoux des Ramon, vous chanterez moins haut ! Et puis il y a la balle...

— C'est vrai... c'est votre idée fixe. Une balle... Je suppose qu'il s'agit d'une balle de revolver ? demanda insolemment John.

— Non. D'un ballon de rugby, aboya Bristow.

Mannering se pencha vers sa voisine. Ses lèvres frôlèrent les cheveux sombres. Bristow leva son revolver :

— Pas de blagues, Mannering !

— Inspecteur, si vous êtes tellement certain de m'envoyer en prison, vous me laisserez bien dire au revoir à miss Fauntley ?

Et, sans attendre de réponse, il déposa un léger baiser sur la joue de Lorna... en lui murmurant rapidement :

— Essayez de glisser la balle dans ma poche.

Puis il se redressa.

— Il doit y avoir de bien pénibles moments dans votre métier, pour un cœur sensible... A propos, Bristow, je suppose que la présence de miss Fauntley dans mon appartement va rester un petit secret entre vous et moi... et vos hommes, hélas !

Mais Bristow refusait de se laisser distraire :

— Je vous ai prévenu : n'essayez pas de me mener en bateau ! Je commence à en avoir pardessus la tête, du Baron !

— Pour une fois, nous voilà d'accord : il est vraiment encombrant.

Pendant qu'il parlait, Lorna avait glissé la balle de sa main dans la poche de John. Mais elle calcula mal son geste. Et on entendit distinctement le petit bruit du métal sur le sol, et le « oh » consterné de Lorna. Les yeux de Bristow étincelèrent, et il fit sa première faute. Oubliant son arme, il partit comme une flèche vers la balle. John le vit arriver, leva son bras gauche, et, de toutes ses forces, envoya son poing dans le menton de l'inspecteur... et Bristow s'écroula, foudroyé.

Lorna était pétrifiée : tout ceci n'avait pris qu'une seconde. Sans hésiter, John se précipita vers le téléphone et fit un numéro. La voix du colonel Belton répondit. Sans perdre de temps en politesse John ordonna :

— Passez-moi Gerry Long, et tout de suite.

Surpris, le colonel obéit avec une rapidité toute militaire. Lorna ouvrait de grands yeux étonnés et John lui sourit, avec un petit clin d'œil complice. Elle se pencha pour ramasser la balle :

— Qu'est-ce que j'en fais ?

— Attendez.

La minute annoncée par le colonel se prolongeait affreusement.

— John, pourquoi n'irais-je pas la jeter dans la rivière ?

— En robe de chambre, ou bien en danseuse espagnole ? se moqua John. Pour que la police vous tarabuste, et aille questionner toute votre Sainte Famille. Certainement pas !

— Mais cela n'a pas d'importance, John !

— Je vous adore, Lorna, mais je refuse. D'ailleurs... C'est vous, Gerry ? Venez chez moi tout de suite, Brook Street. Mais attention, ne prenez pas la grande entrée. Il y a une cour derrière mon immeuble. Vous la connaissez ?

— Oui.

Long avait compris qu'il ne s'agissait pas de plaisanteries.

— Restez dans cette cour. Je vous lancerai quelque chose par la fenêtre. Attrapez-le et allez le jeter n'importe où, la Tamise ou un égoût. Mais pour l'amour du Ciel, ne perdez pas une seconde. Venez vite !

— Entendu, répondit Gerry, laconique, en raccrochant.

John se tourna vers Lorna :

— On dirait que nous allons nous en sortir, mon amour ! Je donnerais tout au monde pour que vous ne soyez pas là en ce moment. Mais je suis fou de bonheur que vous y soyez.

Cette déclaration sybilline parut très claire à

180

Lorna, qui sourit. Puis, d'un geste, elle désigna Bristow :

— Et lui ?

— Oh ! lui, il ne va que trop bien ! Tout ce que je voudrais savoir, c'est qui arrivera le premier ici : Gerry ou Poids-Lourd. Venez, allons à notre poste de guet.

Ils se dirigèrent vers la chambre à coucher et se postèrent derrière la grande fenêtre. Devant eux s'étendait l'allée sablée conduisant à la petite cour et par laquelle Gerry devait normalement arriver. L'immeuble de Mannering possédait deux issues : ce détail n'avait pas échappé au Baron lorsqu'il avait loué cet appartement !

— Gerry ne devrait pas tarder...

Enfin, ils aperçurent une longue silhouette qui avançait rapidement dans l'allée. Il se tourna vers Lorna :

— Nous sommes sauvés... Vive Gerry !

Gerry s'arrêta sous la fenêtre... et au même instant, la sonnette de la porte d'entrée retentit !

D'une voix tranquille, John ordonna :

— Allez leur ouvrir, mais pas trop vite ! Et retenez-les un peu.

Gerry leva les deux mains en corbeille, et Mannering, d'un geste rapide, y jeta la balle enveloppée de papier blanc. Gerry l'attrapa habilement, et, sans un coup d'œil vers John, s'éloigna aussitôt à grandes enjambées. Au même moment, la voix de Lorna retentit :

— John, attention.

Debout dans l'embrasure de la porte, Bristow, pâle et chancelant, regardait John. D'un pas hésitant, il s'approcha de la fenêtre : un coup d'œil lui suffit pour comprendre ce qui venait de se passer. Long était déjà trop loin pour qu'il puisse le reconnaître, mais perdant la tête, encore abruti par le coup de poing de John, Bristow crut qu'il pourrait peut-être rattraper le fuyard. Et il enjamba le rebord de la fenêtre.

Devant lui, c'était le vide, mais un tuyau assez large descendait le long du mur, à portée de sa main. Avant que John ait eu le temps de la prévenir ou de le retenir, Bristown avait saisi le tuyau, et quitté l'appui de la fenêtre. Immédiatement, un craquement sourd apprit à John que le tuyau cédait. Pendant une seconde, il crut que l'inspecteur s'était écrasé au sol. Mais il vit les doigts du détective, cramponnés au rebord de la croisée. Aussitôt, sans se soucier de sa blessure, John saisit à pleines mains les poignets de l'inspecteur. La douleur faillit lui faire lâcher prise. Mais il serra les dents, ne pensant plus qu'à sauver Bristow. De tout son poids, celui-ci tirait sur l'épaule blessée. John crut un instant qu'il ne pourrait pas le supporter, puis il se domina, et petit à petit, avec d'infinies précautions, il tira l'inspecteur à lui... Des siècles s'écoulèrent, et les poignets de l'inspecteur ne s'élevaient que de quelques millimètres. John poussa un cri angoissé. Mais le sergent Tring était déjà derrière lui, et de sa poigne puissante venait au secours de son chef.

John relâcha son étreinte, et recula en vacillant, pendant que Poids-Lourd, aidé de ses deux collègues, remontait Bristow. Deux secondes après, celui-ci était dans la pièce, sain et sauf.

Les yeux clos, pâle comme la mort, John s'appuyait de tout son poids contre le mur derrière lui, et soudain glissa à terre. Lorna se précipita, bousculant les quatre hommes sans plus de ménagements :

— Aidez-moi, vous autres. Vite ! Transportez-le sur son lit.

Subjugués, les deux policiers s'empressèrent, tandis que Poids-Lourd, qui avait déniché d'un coup d'œil expert un carafon de whisky sur le buffet, en versait d'autorité une rasade aux lèvres de son chef, remettant à plus tard le soin d'éclaircir cette situation, apparemment des plus confuses.

16

Quelques minutes après, Bristow contemplait Poids-Lourd d'un air sombre, sans mot dire. La curiosité dévorait le sergent, mais, prudent, il se gardait bien d'ouvrir la bouche, sachant que l'orage ne devait pas être loin !

L'inspecteur avait renvoyé à Scotland Yard les deux hommes et la femme demandés en renfort. Il savait bien qu'il était maintenant inutile de chercher cette maudite balle. Et il n'avait d'ailleurs pas la moindre envie de la chercher. Les terribles secondes qu'il venait de passer, suspendu entre le ciel et la terre, entre la vie et la mort, retenu par la seule force du poignet de Mannering, l'avaient bouleversé. Une fois revenu dans la pièce, il avait vu Mannering s'écrouler, et une large tache de sang envahir son veston clair. Au prix d'un effort surhumain, le jeune homme venait de le sauver d'une mort certaine ; et Bristow allait l'arrêter !

Il grogna d'un air furieux : un policier ne pouvait pas s'offrir le luxe de faire du sentiment ! Devoir, devoir, un point c'est tout !

Dans l'appartement de Mannering, il trouverait les bijoux volés par le Baron la nuit précédente, et dont il ne s'était probablement pas débarrassé.

Il se leva subitement ; Lorna entrait dans la pièce, très pâle, mais décidée :

— Il faut appeler un docteur, et tout de suite. Je n'arrive pas à le ranimer.

Bristow fit un geste, et Poids-Lourd, dont l'âme sensible s'apitoyait sur cette fille ravissante et visiblement désespérée, se précipita sur le téléphone.

— Je vais vous en appeler un, mademoiselle.

Bristow regarda d'un air grave Lorna, qui lui rendit son regard avec un petit sourire triste.

— Comprenez-moi, miss Fauntley, j'ai horreur de ce que je vais faire. Mais je dois le faire, et je le ferai. Est-ce qu'il avait une valise avec lui la nuit dernière ?

Les lèvres de Lorna se serrèrent. Elle prit une expression futée. Bristow lui lança un coup d'œil à la fois excédé et suppliant :

— Ne me rendez pas les choses plus difficiles, mademoiselle ! Tôt ou tard, je la trouverai !

Elle hésita, puis d'une voix morne, murmura :

— Comme vous voudrez ! Elle est là, dans la chambre à coucher. Ne faites pas de bruit...

Pas plus réjoui que cela, Bristow se dirigea vers la chambre. Lorna eut aussitôt un coup d'œil rapide vers Poids-Lourd, qui lui tournait un dos large comme une armoire, et répétait « Allô » sans se lasser dans le récepteur. Si Bristow ou Poids-Lourd s'étaient retournés, ils auraient compris sur-le-champ qu'il se passait quelque chose d'anormal : vive comme l'éclair, Lorna glissa une petite clef dans un des tiroirs du secrétaire, l'ouvrit sans bruit, et fit jouer un double fond. Les diamants Rosas y reposaient, et le masque du Baron. Elle repoussa doucement le tiroir, et glissa les diamants et le petit morceau de tissu dans la poche de sa veste de pyjama.

186

Lorsque Tring se retourna, il vit Lorna, défaillante, appuyée contre le secrétaire, immobile, et les yeux pleins de larmes. Désolé, Tring lui sourit timidement. A ce moment, Bristow ouvrit la porte. Il dévisagea Lorna, mais distraite, accablée, elle paraissait indifférente à tout, et le doute s'empara à nouveau de Bristow. Se serait-il trompé ?

Il savait pourtant que Mannering et le Baron n'étaient qu'un seul et même homme, mais il ne pourrait pas le prouver. La balle s'était envolée. Et dans la petite valise qu'il venait de fouiller, il n'avait trouvé qu'une perruque, une écharpe de soie, une boîte de fards, un faux-nez... Bref un costume Charles II. Mais pas le moindre diamant, pas la plus petite perle !

D'un ton rogue, il ordonna :

— Tring, fouillez-moi ce studio de fond en comble !

Tring, prudent, obéit sans répondre. Et Lorna, intéressée, put assister à une perquisition admirablement menée. Les deux policiers décrochèrent les tableaux, soulevèrent les tapis, retournèrent les coussins, et trouvèrent évidemment le fond secret du petit tiroir... mais vide ! Même les fleurs furent inspectées une à une !

Enfin Bristow s'arrêta et donna l'ordre du départ. Il regarda Lorna, se demandant si c'était seulement le soulagement qui faisait briller les beaux yeux gris, ou bien s'il n'y dansait pas une petite lueur impertinente. Mais il haussa les épaules :

— Je ne sais pas comment il s'est débrouillé, mais vous lui ferez mes compliments ! murmura-t-il presque admiratif. Qu'est-ce que vous avez à me regarder d'un air ahuri, vous ? jeta-t-il à Poids-Lourd, qui, philosophe, se dit qu'il fallait bien que l'orage éclate, et fut d'ailleurs dispensé de répondre par le coup de sonnette providentiel du docteur qui arrivait. Les deux policiers tournèrent les talons sans autre commentaire.

Pendant ce temps Gerry Long avait suivi les instructions de John. Très romantique, il était allé jeter le petit paquet blanc, sans même l'ouvrir, du haut de Westminster Bridge, dans la Tamise boueuse à souhait. Il aurait fait n'importe quoi pour John.

Aussi, quand Lorna lui téléphona quelques heures plus tard, obéit-il sans discuter et sans chercher à comprendre. C'était d'ailleurs assez simple : il s'agissait d'aller au Palais des Arts, demander si l'on n'avait pas trouvé une serviette de cuir soigneusement fermée à clef, dans un petit placard. On la trouva aussitôt. Elle portait les initiales J. M. Ensuite, il fallait déposer la dite serviette à la consigne de Waterloo Station, et apporter le bulletin à Lorna...

Confortablement adossé contre ses oreillers, Mannering souriait à Lorna. Le docteur les avait quittés sur un pronostic des plus rassurants. La blessure s'était rouverte, mais sa guérison ne serait qu'une affaire de temps et de soins.

Lorna s'inquiétait de ce que l'inspecteur pouvait savoir, penser, ou décider, mais John la tranquillisa :

— Je ne crois pas qu'il continue à nous ennuyer pour cette affaire-là. Il n'était pas tellement content de lui : c'est un brave type, vous savez. Mais il m'a manqué de peu : si vous **n'aviez** pas réussi à prendre les pierres, j'étais perdu. Comment avez-vous fait pour qu'il ne remarque rien ?

— Et comment avez-vous fait pour qu'il vous croit évanoui ?

Mannering, se rappelant les détails de l'incident, eut un petit sourire amusé. Il n'avait jamais perdu conscience. Dès qu'il s'était trouvé seul dans sa chambre avec Lorna, sa première pensée, malgré la douleur qui déchirait son épaule, avait été pour les diamants Rosas, et pour le masque ! Heureusement, Lorna avait pu suivre ses instructions, et sauver la situation. Quant aux bijoux de Carlotta, en homme prudent il avait laissé sa serviette dans le placard du Palais des Arts, sachant que Bristow chercherait les bijoux dans tout Londres, mais jamais à cet endroit-là !

Maintenant, il avait de quoi vivre au moins un an et même plus, s'il arrivait à vendre les Rosas. Mais il lui faudrait être prudent : Bristow était sur ses gardes. Soudain, il comprit, pour la première fois depuis ce matin, que le Baron était libre... libre de recommencer, ou libre de s'arrêter. Il regarda longuement Lorna, qui expliquait d'un ton paisible :

— Je vais téléphoner à Patty de m'apporter une robe, elle ne dira rien ; puis j'irai chercher de quoi déjeuner pour nous deux... Et ensuite je me ferai remplacer par une garde, parce que tout de même...

Il l'interrompit et demanda d'une voix décidée :

— Lorna, si je laissais tout tomber, vous m'épouseriez ?

189

Il se fit un silence tendu. Les yeux de Lorna reflétaient un immense désespoir.

— Je ne peux pas, John. Je donnerais ma vie pour vous, mais je ne peux pas vous épouser.

Mannering prit la main brûlante de Lorna entre les siennes, et la serra doucement. Il était temps de lui dire qu'il avait tout deviné. Avec un petit sourire ironique mais plein de tendresse comme s'il se moquait de son terrible secret, il murmura :

— Vous êtes mariée, n'est-ce pas ?

Lorna ne répondit rien.

— Et vous le payez, lui, pour garder votre mariage secret ?

Elle le regarda, bouleversée :

— Oui. Nous nous sommes mariés il y a longtemps, pendant la guerre. Nous nous connaissions à peine. Il ne savait pas que j'étais riche, et moi, je ne savais pas que c'était un...

— Chut ! interrompit John.

— Il est parti presque aussitôt, en me promettant de ne jamais essayer de me revoir. Je l'ai cru. Quelle idiote j'étais ! Il y a un an environ, John, il est revenu. Peu de temps après notre rencontre ! Il avait appris qui j'étais, et il voulait de l'argent. Il me promettait de se taire si je le payais suffisamment.

Ses yeux désespérés étaient presque noirs, et son visage semblait un masque tragique. Jamais elle n'avait paru aussi belle à John.

— Alors, j'ai fait l'impossible. J'ai essayé de prendre le collier de Patricia...

Ce dernier détail faillit faire perdre la tête à John : c'était Lorna qui avait essayé de voler le collier de Patricia !

— Nom de Dieu ! s'exclama-t-il. Et sans s'excuser :

— Le jour du mariage ?

— Oui, bien sûr !

— Et les fausses perles étaient à vous ?

— Oui. Je connaissais bien le véritable collier : j'étais allée le choisir avec Emma Kenton ! Je me suis donc procuré un collier identique. Mais au moment d'agir, j'ai flanché, et j'ai glissé le collier dans la première poche venue, celle de Gerry, avec qui je dansais.

John s'efforça de ne pas penser à cet incroyable détail. Une seule chose comptait : Lorna l'aimait, et elle était mariée.

— Vous comprenez, John, je pourrais peut-être divorcer... Mais il risquerait de gagner le divorce. Il est capable de tout, et on m'a beaucoup vue avec vous ces derniers temps. Je n'ose pas déclencher un pareil scandale : vous savez que papa se présente aux prochaines élections ! Vous voyez cela d'ici. Quelquefois, je me traite de lâche ! Quand il est revenu me demander de l'argent, l'autre jour, j'ai bien cru devenir folle ! Mais je n'aurai jamais le courage de dire la vérité !

— Vous préférez le payer, et continuer à vivre un véritable cauchemar... constata lentement John, sans aucun reproche. Mais nous trouverons bien un moyen pour en sortir. Nous sommes deux, maintenant, Lorna. Nous attendrons. Un ou deux ans, ce n'est rien dans toute une vie ! Pendant ce temps-là, nous pouvons toujours travailler !

Lorna sourit. Ses yeux brillaient, heureux. Elle s'était débarrassée de son secret en l'avouant à John.

Il l'attira doucement contre lui de son bras

valide. Elle posa la tête sur son épaule, et murmura, malicieuse :

— C'est vrai ! J'oubliais que le Baron peut encore travailler !

EDITIONS J'AI LU

*35, rue Mazarine, Paris VI*e

Exclusivité de vente en librairie
FLAMMARION

19.716. — Imp. « La Semeuse », Etampes. — C.O.L. 31.1258
Dépôt légal : 4e trimestre 1965
PRINTED IN FRANCE